자유주의 정치

도대체 한국정치는 뭐가 문제인가?

홍성민 교수의 알기쉬운 정치철학 강의

2권 자유주의 정치

도대체 한국정치는 뭐가 문제인가?

홍 성 민 지음

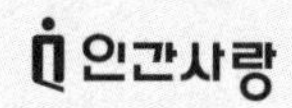

글을 시작하며

통상적으로 자유주의라고 하면, 18세기를 전후로 유럽에서 발생한 정치이념을 의미한다. 영국의 명예혁명, 프랑스의 대혁명, 독일의 지식인 혁명을 기반으로 중세적 질서가 해체되고 새롭게 성립된 정치체제를 가리킨다. 이것은 부르주아 계급을 중심으로 자본주의를 경제체제로 성립하고, 선거를 통한 대의제를 구축하여 이루어진 독특한 정치시스템이다. 데이비드 헬드의 분류에 따르면, 공화주의와 자유민주주의의 혼합형태를 의미한다.[1] 분명 이것은 고대의 아테네 민주주의와 다르며, 20세기의 민주정치의 체제와도 차별되는 제도이다. 한국사회에서 민주주의는 자유주의와

1 데이비드 헬드, 박찬표 역, 『민주주의의 모델들』, 후마니타스, 2019.

당연하게 결합되는 것으로 생각하는 사람들이 많은데, 민주주의를 실현하기 위한 이념들은 18세기 자유주의 정치철학 이전에도 여러 형태로 존재했었다. 그 대표적인 예가 바로 원초적 민주주의이다.[2] 이것은 고대 아테네의 민주정치체제나 종교적 정치체제의 복합형태를 의미하며 적어도 자기통치를 기반으로 한 공동체의 이념이다. 이렇게 두고 보면 자유주의 정치이념의 가장 큰 특징은 대의제 정치체제라고 할 수 있다.

지난 250년 동안 자유 민주주의는 전 세계 국가들이 채택한 가장 우수한 정치체제이다. 그러나 지금은 그로부터 발생하는 사회문제를 간과할 수 없는 지경에 이르렀다. 빈부 격차, 자연 파괴, 관료주의 폐해, 인종 간의 분열 등등 오늘날 세계에서 목도하는 수많은 사회문제가 자유주의로부터 생겨났다고 말하는 학자들도 있다. 이제 자유주의의 위기를 거론하는 것이 당연한 상황이다.[3] 특히 세계화의 흐름과 맞물려 등장한 신자유주의 이념은 고전적 자유주의 아류임에도 불구하고, 그 폐해의 원인이 자유주의 그 자체에 있다는 인상을 심어주고 있다.[4] 그렇다면 자유주의 실패의 원인

2 조사이아 오버, 노경호 역, 『자유주의 이전의 민주주의』, 후마니타스, 2023.

3 패트릭 드닌, 이재만 역, 『왜 자유주의는 실패했는가』, 책과 함께 2019.

4 알랭 투렌, 고원 역, 『어떻게 자유주의에서 벗어날 것인가?』, 당대, 2000;

은 무엇이고 해결책은 있는가?

이 책에서 필자는 자유주의의 위기를 진단하기 위한 기초작업을 하려고 한다. 자유주의 정치를 다루면서 18세기를 전후로 한 시기와 영국, 프랑스, 독일을 대표하는 5명의 정치사상가를 선택했다. 그 이유는 이때 성립된 정치이념과 제도가 20세기 자유민주주의의 사상적 기초가 된다고 생각하기 때문이다. 즉 현대정치가 변형된 자유주의라고 한다면, 원형은 바로 18세기의 고전적 자유주의이다. 원형을 제대로 알아야 변형의 문제를 진단하고 해결할 수 있기 때문이다.

구체적으로 자유주의 위기는 크게 보아 5가지 종류이다.

첫째는 대표성의 위기이다. 고대 민주주의가 직접 민주주의였다면, 근대 민주주의는 대의제 정치이다. 이것이 고대와 근대의 가장 큰 차이점이다. 그런데 근대정치의 문제점은 대표로 선출된 정치인이 유권자들의 의지를 제대로 반영하지 못한다는 것이다. 이른바 대표성의 위기가 지난 250년 동안 자유주의 정치의 난제로 남아 있다. 20세기에 들어와 지방자치를 도입하거나, 최근에 전자민주주의 장점을 도입하면서, 개선책을 찾으려 애쓰고 있지만, 문제가 완전히 해결되지 않았다. 따라서 이 문제의 근원을 찾아 연구

레이몽 부동, 임왕준 역, 『지식인은 왜 자유주의를 싫어하는가』, 기파랑, 2007.

해야 할 필요가 있는데, 여기에 홉스의 텍스트가 중요하게 등장한다.

둘째는 빈부의 격차이다. 자본주의 제도의 폐해를 자유주의 정치가 바로 잡아 주지 못하고 있다. 그래서 로크의 소유권 이론이 가장 먼저 비판의 대상이 되곤 한다. 로크를 가장 먼저 비판한 학자는 마르크스이다. 결국 로크와 마르크스의 중간에서 타협점을 찾으려 했던 것이 지난 250년 동안 자유주의 정치의 변모 과정이었다고 말해도 과언은 아니다. 대체로 1890년대 사회 민주주의라는 형식으로 타협점을 찾았던 서유럽의 정치는 1960년대까지 복지국가로서 발전과 평등이라는 두 가지 과제를 모두 실현하는 듯 보였다. 그러나 누적된 재정적자 탓으로 복지정책은 후퇴할 수밖에 없었고, 그 대안으로 등장한 것이 1980년대의 신자유주의이다. 미국의 레이건과 영국의 대처 정권이 대표적인 사례이다. 그러나 이것 역시 2008년 유례없는 경제위기로 인해 이념적 효과를 잃고 말았고, 현재는 사민주의와 신자유주의 사이에서 각국의 경제정책이 요동치고 있다. 이 문제를 해결하기 위해서는 로크의 소유권 이론부터 다시 시작해야 한다.

셋째는 주권자 자신의 문제이다. 자유주의는 근대적 주체들의 합리성과 합당성에 기반하여 성립한 정치체제이다. 쉽게 설명하자면, 개인들이 자신의 이해관계를 분명히 인식하며, 나아가 자신의 정치적 욕망을 공동체를 위한 것으로 조정해 나갈 수 있다는 믿음에 기반한 것이 자유주의 민주정치이다. 그런데 정치주체들이 자신의 이해관계를 제대로 이해하지 못하는 경우가 있어, 계급위반 투표가 빈번하게 발생한다. 나아가 개인이 욕망이 사적인 것에 머물러 있는 경우도 허다하다. 이것은 개인들의 정치적 소양이 부족하다는 것을 의미하며, 나아가 정치가들이 개인들의 의견을 마음대로 조종할 수 있다는 것을 의미하기도 한다. 이른바 포퓰리즘의 문제가 자유주의의 핵심 문제가 되었다. 1850년대 프랑스에서 루이 보나파르트의 대통령 당선, 1930년대 독일에서 히틀러의 집권, 2016년 미국에서 트럼프의 당선은 포퓰리즘이 전 세계적인 현상임을 보여주고 있다. 이 문제를 해결하기 위해서는 루소의 일반의지의 개념을 다시 한번 살펴볼 필요가 있다.

넷째는 정치관료들의 부패문제를 지적하지 않을 수 없다. 20세기 이후 자유주의는 정당 체제로 변화했고, 이때부터 정치는 기술관료들이 실질적으로 지배하게 되었다. 즉 국가정책이 매우 전문화되고 복잡해짐에 따라 예산과 입법의 전문가들이 행정절차를 통해서 입법과정을 독점하게 되니, 대표로 선출된 정치인들은 오히려 허수아비 같은 존재로 전락하고 말았다. 그런데 기술관료들은 공공성을 우선하기보다는 자신들에게 유리한 정치인을 당선시키기 위한 전략들을 모색한다. 베버식으로 말하자면, 기술관료들은 직업으로서 정치를 하는 사람들이기 때문이다. 즉 생계를 위해서 정치를 하는 기술관료들은 기업과 시민단체들의 로비를 받고 금품을 수수하는 것도 마다하지 않는다. 현대정치에서 정치적 올바름을 망각한 기술관료들의 부정부패가 큰 과제로 남아 있다. 이 문제를 근본적으로 숙고하기 위해서는 칸트의 공공성 개념을 연구해야만 한다.

다섯째는 인종과 종교에 대한 차별을 해결하는 것이 큰 문제이다. 21세기에 접어들어 근대국가의 경계가 무너지면서, 세계화라는 이름 아래 노동력의 자유로운 이동이 가능해졌다. 그러나 서로 다른 인종과 종교가 혼종됨으로써 이제 국내정치는 이민자의 문제와 인종의 갈등으로 심각한 사회문제에 봉착하게 되었다. 오늘날 종교적 대립과 소수인종의 갈등이 세계분쟁의 주요 원인이 되었다. 서로 다른 가치관을, 서로 다른 습속을, 인정하는 정치를 찾아야 한다. 이를 위해서는 헤겔의 인정투쟁의 개념을 면밀히 검토해 보아야 한다.

필자는 이 책에서 홉스, 로크, 루소, 칸트, 헤겔의 정치사상이 자유주의 정치철학의 핵심이라고 판단했다. 그리고 각각 대표성, 소유권, 일반의지, 공공성, 인정투쟁이라는 5가지 핵심 개념의 근원과 그에 대한 서로 다른 해석을 비교 검토하고, 그것이 한국사회에 주는 의미를 정리해 보았다. 이러한 작업을 통해서 현대사회에서 자유주의와 민주주의 결합에 대한 새로운 가능성을 간접적으로 제시했고, 이러한 비교를 통해서 한국사회에서 자유민주주의의 새로운 방향성을 고민해 보고자 했다.

차 례

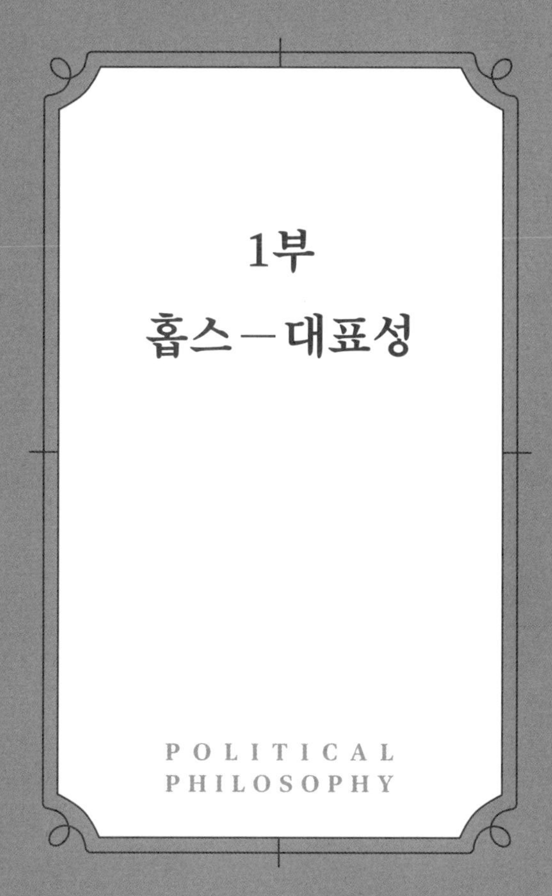

1부

홉스―대표성

POLITICAL PHILOSOPHY

1장 | 근대적 인간의 탄생

홉스의 『리바이어던』은 근대정치의 새벽을 열었던 책이다. 다시 말해 『리바이어던』으로부터 서양의 정치는 고대와 중세의 전통을 넘어서 근대라는 세계로 진입하게 된다. 그렇다면 홉스의 사상 중에서 무엇이 그토록 중요한 역할을 한 것일까? 한마디로 말해 변화의 핵심은 새로운 인간관에 있다. 고대의 인간관이 형이상학에 근거하여 덕의 정치를 만들어 냈고, 중세의 인간관이 신학적 인간관에 근거하여 사랑의 정치를 만들어 내었다면,[1] 홉스는 자연과학적 인간관에 근거하여 계약론의 정치를 만들어 냈다고 할 수 있다. 결국 국가와 정치를 계약론의 관점에서 바라보게 한 시발점이 바로 홉스의 『리바이어던』이다.

그렇다면 계약론적 관점이란 무엇인가? 그것은 국가란 사람과 사람 사이의 합의에 의하여 탄생했으며, 정치란 자신의 동의에 의해서 나를 대표할 수 있는 사람을 선출할 수 있다는 사고방식이다. 이것은 아리스토텔레스의 관점과는 정반대에 있다. 왜냐하면 아리스토텔레스는 국가란 인간 본성으로부터 유래하는 것이고, 정치

1 덕의 정치는 아리스토텔레스를 지칭하여, 사랑의 정치는 토마스 아퀴나스를 가리킨다. 이 점에 대해서 자세히 알아보기 위해서는 홍알정 1권을 참조하기 바란다.

란 자유시민이 광장(아고라)에 나가 직접 자신의 의사를 표현하는 것이라고 생각했기 때문이다. 이러한 맥락에서 보면 직접 민주주의와 대표제 민주주의라는 제도적 차이가 고대와 근대를 구분짓는다. 이러한 맥락에서 홉스가 제안한 대표성의 개념이 현대 민주정치에 큰 영향력을 행사하고 있다. 근대사회에 진입하면서 국가 내의 인구수가 팽창함에 따라, 직접 민주주의가 사실상 불가능해졌으며, 나의 의지를 표현하는 대표자를 선출하는 것이 근대정치의 중요한 형식으로 자리 잡았기 때문이다. 그런데 홉스의 사상에 있어서 대표성의 개념은 근대적 인간관에서 유래하며, 계약을 통해 탄생한 국가가 주권을 획득하는 계기와 밀접하게 연결되어 있다. 그래서 이 글에서는 인간관, 계약론, 국가론, 대표성 등의 순서로 홉스의 사상적 의미를 정리해 보려고 한다.

일단 인간관으로부터 시작하자. 홉스는 영국의 가톨릭 신부였다. 그런데 그는 2차례 로마 교황청에 유학을 하면서 당대 최첨단의 자연과학 이론가들과 조우하게 된다. 그 대표적인 사람이 갈릴레이다. 지동설을 주장했던 갈릴레이는 당시 교황청으로부터 이단이라는 낙인을 받고 파문되었던 과학자이다. 그가 교황청이 주관한 종교재판에서 자신의 과학적 확신을 거부하면서 나오는 길에 "그래도 지구는 돌고 있다"라고 말한 사건은 잘 알려진 일화이다. 어쨌든 홉스는 갈릴레이와 같은 천문학자, 또는 생물학자들을 만나면서, 기독교적인 세계관에서 벗어나 새로운 인간관을 가지게 된다. 그러한 사상이 극명하게 드러난 글이 바로 『리바이어던』의

서문이다. 여기서 그는 인간을 기계에 비유하고 있으며, 나아가 정치공동체라는 것도 이러한 인공적 인간과 다르지 않다고 말한다.

"예컨대 스프링이나 회전 바퀴에 의하여 스스로 움직이는 엔진과 같이 모든 자동기계가 하나의 인공적 생명을 가지고 있다고 말할 수 있지 않겠는가? 말하자면 태엽은 심장이요 신경계통으로서 조물주가 의도한 대로 그 기계 전체를 움직이게 하는 관절에 해당한다고 볼 수 있다. 자연 중에서도 가장 이성적이고 합리적인 창작품이 인간인데 인체를 모방함으로써 창작품은 한결 더 고급품이 될 수 있다. 정치공동체, 즉 국가는 바로 이런 솜씨에 의하여 만들어졌는데, 그것이 바로 하나의 인공적 인간과도 같은 리바이어던이다."[2]

그렇다면 도대체 홉스가 주장하는 근대적 인간관이란 무엇인가?

사실 『리바이어던』의 1부는 거의 대부분 인간에 대한 논의에 할애되어 있다. 1부가 16장으로 구성되어 있는데, 12장까지가 인간론에 대한 서술이고, 13장이 자연상태, 14장과 15장이 사회계약론, 16장이 대표성에 대한 논의이다. 그리고 국가론에 대한 논의는

2 홉스, 한승조 역, 『리바이어던』, 삼성출판사, 1993, 153쪽.

2부에서 비로소 시작된다.[3] 이렇게 놓고 보면 국가의 탄생은 인간론에 비해 상대적으로 비중이 적어 보이기도 한다. 그런데 이렇게 길어진 인간론을 한마디로 정리할 수는 없을까? 어느 세월에 이걸 다 읽어낼 수 있겠는가? 바로 이런 생각을 하고 있는 독자라면, 1부 6장부터 읽기를 권한다. 6장이 홉스 인간론의 핵심이다.

이 장의 제목은 "정념이라 불리는 의지적 운동의 내적 동기 및 그것이 표현되는 언어에 대하여"이다. 여기서 운동이라는 단어에 주목해야 한다. 홉스는 인간의 의지가 운동이라고 생각한 것이다. 의지가 무엇인가? 그에 따르면 인간의 마음에 상상된 것들이 행동으로 드러나는 것이다. 이것은 인간의 욕구와 의욕에 관련한 것이며, 삶의 기초적인 작용이라고 할 수 있다. 그래서 홉스는 이것을 노력(endeavour)이라고 부른다.[4] 살짝 위험스럽기는 하지만 아주 단

3 『리바이어던』 3부와 4부는 일종의 신국론에 해당하는 것으로 번역본 중에 이 부분이 빠져있는 책도 있다. 이것은 홉스가 중세적인 신학론의 영향으로부터 완전히 벗어나지 못했다는 반증이기도 하다.

4 노력(endeavour)이라는 단어는 라틴어로 코나투스(conatus)와 유사하다. 코나투스는 스피노자가 『에티카』에서 인간의 감정을 운동으로 표현할 때 자주 사용했던 용어이다. 스피노자에게 코나투스는 다양한 감정과 연결되어 있고, 이러한 감정들이 사랑이라는 긍정적 형식으로 드러날 수 있는 사회가 좋은 공동체라고 설명한다. 이러한 코나투스의 역할이 20세기에 들뢰즈의 『천 개의 고원』에서 새로운 윤리의 형식으로 다시 한번

순하게 말해 정리해 보자면 "의지= 욕구=감정" 등이라는 형식으로 요약할 수 있겠다. 그런데 흥미로운 사실은 이러한 의지와 욕구가 운동에너지와 같다고 설명하는 점이다. 이 대목이 근대적 인간관의 핵심 부분이다.

> "이러한 노력이 그것을 일으키는 어떤 것을 향할 때, 욕구 또는 의욕이라고 불린다. (...) 그리고 노력이 어떤 것으로부터 멀어지기 위해서 행해질 때, 그것은 일반적으로 혐오라고 불린다. 이러한 욕구와 혐오는 라틴어에서 빌려온 것으로 이들은 어느 것이나 운동을 나타내는데, 한쪽은 접근하는 운동을, 다른 한쪽은 후퇴하는 운동을 의미한다."[5]

여기서 홉스는 인간의 욕구와 의욕이 전진과 후퇴의 형식으로 표현되는 운동이라고 단언하고 있다. 무슨 말인가? 예를 들어 인간이 누군가를 좋아한다고 하자. 이것은 분명 인간의 의욕이며 욕구이다. 그리고 아리스토텔레스에 따르면 사랑이란 증오와는 전

등장한다. 그런데 홉스에게서 코나투스는 운동에너지일 뿐, 다양한 감정의 형식들은 아니다. 스피노자의 코나투스에 대한 논의는 이 책의 3장에서 루소의 연민이라는 감정을 설명할 때 비교하려고 한다.

5 홉스, 『리바이어던』, 181쪽.

혀 다른 감정이다. 그런데 홉스의 논리에 따르면 인간의 욕구란 운동에너지에 불과하기 때문에 그것이 대상을 향해 나갈 때는 사랑의 감정으로 표현되고, 대상으로부터 멀어질 때는 증오라는 감정으로 표현된다는 것이다. 이러한 논리에서 보면 유쾌함은 선의 감각이고 불쾌는 악의 감각이다. 왜냐하면 전자는 생명운동을 강화하고, 후자는 생명운동을 방해하기 때문이다. 공포와 용기도 마찬가지이다. 전자는 대상으로부터 피해를 받는다는 생각이며, 후자는 대상으로부터 피해를 피한다는 희망이다. 나아가 홉스는 선과 악이라는 것도 인간관계에 따라 달라진다고 설명한다. 즉 선과 악의 일반적인 기준은 대상 자체에서 나오는 것이 아니고, 개인이나 국가 안에서 그것을 대표하는 사람으로부터 나온다. 이처럼 6장에서 홉스가 거론하는 감정과 욕구들은 아리스토텔레스가 『니코마코스 윤리학』 4장과 8장에서 설명했던 것들과 유사하다. 그런데 아리스토텔레스는 이러한 감정들이 인간의 덕성으로 승화될 수 있도록 교육이 필요하다고 설명했던 반면, 홉스는 이러한 감정들은 운동에너지일 뿐이며, 이것들은 결코 교육에 의해서 순화될 수 없다고 말한다. 왜냐하면 태엽이 풀어져 멈출 때까지 시계는 한 방향으로 움직이는 것처럼, 인간의 의지와 욕구는 운동법칙에 따르는 에너지의 흐름일 뿐이기 때문이다.

그럼 제어될 수 없는 인간의 욕구는 어떻게 되는가? 그 결과가 바로 "만인 대 만인의 투쟁상태"이다. 정치학을 전공하지 않는 사람들도 가장 많이 들어 보았을 유명한 문장이 바로 "만인 대 만인의 투쟁"일 터인데, 이 문장이 등장하는 곳이 바로 『리바이어던』 1부 13장이다. 6장의 인간론을 읽은 독자들은 곧바로 13장으로 넘어와도 좋을 것이다. 13장의 제목은 "인류의 행·불행에 관한 자연상태에 관하여"이다. 여기서부터 나와 타자의 공존 문제가 시작된다. 즉 정치학이 필요한 시점이다. 이 장은 '인간의 능력이 모두 평등하다'는 명제로부터 시작한다. 평등하다는 주장은 사회적 의미를 담지하기보다는 운동에너지를 가진 인간이 신체적 능력에서 보면 서로 비슷하다는 뜻이다. 즉 모든 인간이 다 똑같은 동물이라는 뜻이다. 비슷한 욕구, 비슷한 에너지의 흐름, 비슷한 신체적 능력. 여기서 발생하는 것이 불신이다. 상대를 믿지 못하며. 더 나아가 상대가 나를 죽일 수 있다는 불안감이 태동한다. 이로 인해 분쟁이 시작된다.

홉스는 분쟁의 원인을 3가지로 지적한다. 첫째는 경쟁이고, 둘째는 자신 없음이며, 셋째는 명예이다. 경쟁이란 목표물을 획득하려는 욕구이고, 이를 위해서 폭력을 사용한다. 둘째는 자신을 방어하려는 본능이고, 셋째는 자신을 과소평가하는 것을 참지 못하는 경우에 발생한다. 현대 심리학의 용어로 설명하면, 마조히즘적인 공격심리라고나 할까? 이렇게 보면 분쟁은 인간의 본능적 욕구부터 사소한 심리적 작용까지 다양한 원인에 의해서 발생한다. 그래서 만인 대 만인의 투쟁은 직접적인 폭력의 충돌을 넘어서 심리적인 갈등상태까지를 표현하는 말이다.

"전쟁이란 전투나 싸우는 행동에만 존재하는 것이 아니고, 전투에 의해 싸우고자 하는 의지가 충분히 알려진 기간에 존재한다. (...) 전쟁의 본질도 실제의 싸움에 있지 않고 투쟁으로의 명확한 지향에 있는 것이다"[6]

이러한 폭력과 공포의 심리상태를 극복할 방법은 무엇인가? 여기서 법이 필요하며, 국가의 역할이 중요해진다. 홉스에게 만인 대 만인의 투쟁상태는 법이 존재하지 않는 자연상태에 일어나는 일이며, 강력한 힘을 가진 국가가 탄생하게 되면 이러한 혼란은 종식된다. 그렇다면 어떻게 사람들이 국가를 만들어 낼 수 있는가? 국가의 탄생은 운명적 각성인가 지적 수양의 결과인가? 홉스는 국가를 탄생시키는 인간의 능력은 이성에 있다고 말한다. 국가가 필요하다고 생각하는 인간의 이성은 동물적인 에너지와 크게 다르지 않다. 쉽게 말하면 내가 죽는 것보다는 손해를 보는 것이 유익하다는 판단이다. 손해란 나의 자유를 약간 희생하는 것이고, 유익은 나의 생명을 보존하는 것이다.

"인간의 상태는 모든 사람에 대한 모든 사람의 전쟁상태이기 때문에 이 경우에는 모든 사람은 그 자신의 이성에 의해 지배되며, 그의

6 홉스, 『리바이어던』, 232쪽.

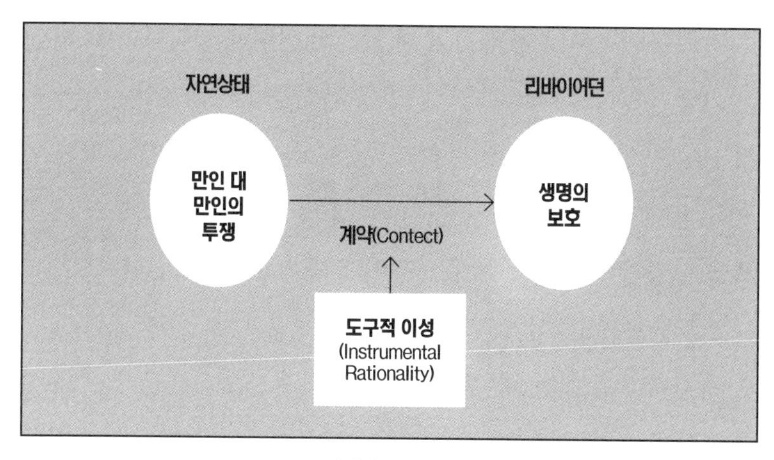

리바이어던 13장

생명을 보존하기 위해서 적에게 도움이 될 수 없도록, 그가 사용할 수 있는 것은 아무것도 없는 것이다."[7]

이런 맥락에서 인간의 동물적 이성이란 비용-이익을 계산할 수 있는 도구적 이성이다. 사회계약의 시작은 바로 손익 계산에서 출발한다. 사회계약을 통해서 얻는 것은 생명의 보존이며, 손해를 보는 것은 자유를 제약당하는 것이다. 이러한 설명을 그림으로 나타내면 위와 같다.

7 홉스, 『리바이어던』, 234쪽.

그런데 나는 사회계약을 통해 국가의 권력을 인정하는데, 타인은 그렇지 않다면 어떻게 할까? 만일 타인들이 사회계약을 인정하지 않고 자신의 권리를 인정하지 않는다면 나와 타인의 관계는 여전히 전쟁상태에 머물게 된다. 따라서 사회계약의 원칙은 지극히 개별적인 것이다. 이것을 두고 원자적 개인주의(atomic individualism)라고 부를 수 있다.[8]

사회계약을 맺는 개인들은 비로소 자연상태로부터 벗어나 새로운 인격을 가지게 된다. 이것이 바로 시민성이며, 법적인 권리와 의무를 갖게 된다. 홉스에게 인격이라는 말은 그리스 시대에 유행하던 프로소폰과 라틴어의 페르소나(persona)라는 단어에서 유래한다. 이것은 무대에서 공연하는 배우의 분장이나 외관을, 때로는 특별히 가면이나 복면과 같이 얼굴을 가장하는 부분을 의미하는 것이다. 이렇게 예술 분야에서 사용하는 단어에 홉스는 정치적 의미를 부여하고, 인격 대신에 대표자라는 말로 바꾸어 사용한다.

8 서양의 자유민주주의는 바로 원자적 개인주의에 근거하고 있다. 따라서 가족, 혈연, 지연, 학연 따위로 정치적 결정을 내리는 것은 자유주의 정치에 커다란 장애물이다. 한국정치가 자유주의를 제대로 완성하기 위해서는 진정한 의미에서 원자적 개인주의를 실천하는 것이 필요하다고 필자는 생각한다.

> "그러므로 인격은 무대와 일상회화에 있어서 배우와 같은 것이다. 그리고 가장한다는 것은 그 자신이나 타인의 역을 하거나 대표하는 것이다. (...) 그것은 여러 경우에 여러 가지 말, 즉 표현자, 대표자, 부관, 부사교, 대리인, 소송대리인, 배우 및 그와 비슷한 말로 불린다."[9]

대표자들은 개인들의 행위와 말을 대리한다. 그러므로 어떤 행위를 할 수 있는 권리를 권한이라고 부른다. 이것은 권리를 가진 자로부터 위임이나 허가를 받아 그 권력을 행사하는 것을 의미한다. 개별자들은 한 사람 한 사람이 법적인 인격으로 대표될 때 비로소 정치적 주체가 될 수 있다. 여기서 홉스는 의미심장한 주장을 펼친다. "인격을 하나로 하는 것은 대표자의 통일성이지, 대표되는 자의 통일성이 아니기 때문이다."[10] 이러한 주장은 후대의 학자들에게 커다란 논란거리를 던진다. 왜냐하면 이 주장을 액면 그대로 받아들인다면, 대표자가 없이는 개인의 법적 주체가 성립하지 않는다는 의미로 풀이되기 때문이다. 즉 왕이 없다면 개별 시민들은 법적 주체가 될 수 없다는 뜻이다. 이러한 논리 때문에 홉스는 왕당파의 논리를 대변한다고 비판받기도 했다. 또 현대정치에 이르러, 개

9 홉스, 『리바이어던』, 256쪽.

10 홉스, 『리바이어던』, 258쪽.

인들은 대표자에게 모든 권한을 위임했기 때문에 대표자가 어떤 행동을 했더라도 그것을 승인해야 한다고 주장하는 학자도 있다. 이런 관점을 과장해서 말하자면, 정치인은 개별시민들을 대리하기보다는 자신의 의견을 시민의 의견으로 포장해서 말하는 사람이다. 대단히 위험스러운 주장이다.

한편 국가를 통해 하나의 인물 혹은 한 집단에 의해서 모두의 인격을 대표할 수 있는 권리가 제도화된다. 주권이란 바로 집적된 의지이며, 이러한 집단의지를 행사할 수 있는 실천력이다. 이러한 주장을 현대적으로 표현한다면, 자신을 대표하는 인물이나 집단의 판단을 자신의 것으로 받아들여야 한다. 이러한 맥락에서 대표자에게 저항하는 것은 논리적인 모순이다. 또 한 사람이 이의를 제기한다고 다른 사람이 사회계약을 파기하는 것도 잘못된 것이다. 왜냐하면 계약이 성립된 것은 대표자가 나의 행동과 판단을 대신할 수 있도록 인정한 것이기 때문이다.

이러한 주장의 밑바닥에는 강력한 국가관이 자리 잡고 있다. 즉 개인의 생명을 보전하기 위해서 국가는 막강한 강제력을 가져야 한다. 그래서 모두의 권력과 힘을 한사람에게 부여해서 다수의 의지를 단일의사로 만드는 것이다. 따라서 국가란 다수의 의견이 하나의 인격으로 통일된 인격체이다. 이것을 라틴어로 표기하면 리바이어던이다. 국가는 평화와 안보를 위해서 그에게 주어진 막강한 권력을 사용할 수 있다.

"바꾸어 말하면, 그것은 그들의 인격을 책임지는 하나의 인물 또는 집단의 인간들을 지명하는 것이며, 만인은 그들의 인격을 그와 같이 책임지는 자가 공동평화와 안전에 관계되는 사물 속에서 행동하는 모든 행위 및 행동하도록 만드는 모든 것의 창조자임을 스스로 승인하는 것이다. 그리고 그러한 범위 안에서 만인은 그들의 의사를 그의 의사에, 그리고 그들의 판단을 그의 판단에 복종시키는 것이다. 이것은 동의나 합의 이상의 것이며, 만인 상호 간의 계약에 의해서 창조된 바로 단일 인격에 있어서의 만인의 진정한 통일이다."[11]

여기서 문제가 되는 대목이 있다. 홉스에 따르면 단일한 의지를 가진 주체가 하나의 인물일 수도 있고, 또는 하나의 집단일 수도 있다고 표현하고 있다. 적어도 필자의 눈에는 이 대목이 홉스가 왕당파의 지지자이면서 동시에 의회파도 옹호하는 것으로 보인다. 왜냐하면 한 인물이란 분명 왕을 지칭하는 것이라면, 한 집단은 의회 집단을 가리키는 것이라고 볼 수 있기 때문이다. 이러한 판단의 근거로 필자는 2부 2장에 등장하는 문장에 주목하고자 한다. 여기서 홉스는 "제도화된 주권자는 모든 행동과 판단의 창조자이기 때문

11　홉스, 『리바이어던』, 263쪽.

에 그가 행하는 행동은 어떤 것이든지 그의 신민들에게 유해한 것일 수 없다"고 말하고 있고, 이어서 "타인으로부터 위임에 의해 어떤 일을 행하는 사람은 그의 위임에 의해 행동하는 사람에게 유해한 행위를 하지 않기 때문이다"[12]라고 적고 있다. 당시가 명예혁명 이전의 왕권시대였으며, 왕의 전횡에 맞서 의회파가 세력을 확장하던 시기였음을 상기해 본다면, 이러한 주장에는 의회파가 왕에 맞서 민중들을 대변한다는 생각을 은연중에 암시하는 것이라고 해석할 수 있겠다.

12 홉스, 『리바이어던』, 267쪽.

2장 | 벌린 대 스키너: 홉스에 대한 두 가지 해석

『리바이어던』에서 홉스는 왕의 권력을 옹호하는가 아니면 의회의 권력을 지지하는가? 서로 상이한 해석을 두고 20세기 영국의 정치학자가 의견을 달리하고 있다. 그 대표적인 인물이 이사야 벌린(Isaiah Berlin)과 퀜틴 스키너(Quentin Skinner)이다. 두 사람의 논쟁은 홉스의 해석뿐만 아니라 인간의 자유가 무엇인가를 두고도 치열하게 대립한다. 이러한 지적 대결은 현대사회가 지향해야 할 정치목표를 탐색하는 데 커다란 함의를 주고 있으며, 한국정치의 문제점을 진단하고 해결책을 찾는 데도 매우 유용할 것이다. 아래에서 두 사람의 지적 대결의 내용을 간략하게 정리해 보자.

우선 벌린의 입장을 살펴보자. 그는 홉스의 사상적 의미를 현대적으로 적용하기 위해서 '소극적 자유'와 '적극적 자유'라는 개념을 만들어 낸다. 전자가 개인의 사생활을 침해당하지 않을 자유를 의미한다면, 후자는 국가 안에서 개인이 자신의 정체성을 발휘하며 살 수 있는 자유를 의미한다. 그렇다면 벌린은 왜 이러한 대조를 통해 홉스 사상을 이해하려고 했을까? 적어도 그의 판단에 따르면, 소극적 자유가 자유주의 정치체제가 유지될 수 있는 최소한의 조건이며, 이를 근거로 독재체제에 저항할 수 있는 근거가 마련된다. 이에 반해 적극적 자유는 사회복지, 정의로운 사회, 이상적 국가 체제 등을 추구하고자 하는 이념들이며 이것들은 19세기에 발생한 특수한 정치적 이상이었다. 그런데 소극적 자유와 적극적 자유는 논리적 출발점부터 서로가 비슷한 철학에서 출발한다. 전자는 나는 어떤 영역에서 주인인가라는 질문에서 출발했고, 후자는 나는 누구에 의해서 지배를 받는가라는 질문에서 출발했다. 이 두 가지 질문이 완전히 다른 것은 아니다. 다만 전자가 국가 권력이 개인의 사생활에 침투하는 것을 방어하려는 불간섭이론을 신봉했다면, 후자는 개인이 적극적으로 사회운동에 참여하여 자신의 권리를 주장하는 이념을 신봉했다고 볼 수 있다.

벌린에 따르면 근대정치의 핵심은 복종과 강제의 문제였다. 즉 "내가 왜 다른 사람에게 복종해야 하나?", "내가 좋은 대로 살면 왜 안 되나?"[13]라는 질문이 가장 중요하다. 그런 의미에서 누구도 나의 활동에 개입해서는 안 된다. 이런 맥락에서 보면 정치적 자유란 한 사람이 다른 사람의 방해를 받지 않고 행동할 수 있는 영역을 가리킨다. 물론 강제라는 것이 무능력과는 다른 뜻이다. 예를 들어 내가 장님이기 때문에 책을 읽지 못한다고 말할 때, 내가 강제받고 있다고 말하는 것은 아니다. 따라서 외부적 강제란 내가 원하는 것을 하지 못하게 하는 상황에만 해당되는 단어이다. 어떤 목표를 달성하지 못했다고 해서 강제가 동원되었고, 자유가 박탈되었다고 볼 수는 없다. 다시 벌린의 예를 들어 보자. 경제적 노예상태라는

13 이사야 벌린, 박동천 역, 『이사야 벌린의 자유론』, 아카넷, 2006, 125-135쪽.

말을 근대에 종종 사용하는데 이것은 자유와 강제를 오해하게 만드는 단어이다. 만일 내가 너무 가난하여 빵을 사 먹지 못하고 세계일주를 못한다고 하면, 이것이 과연 자유의 결핍인가? 나의 가난이 노예상태로 이해되는 것은 잘못된 이념과 세계관에서 유래되고 있다. 그 대표적인 이론이 바로 마르크시즘이다. 물론 공리주의 이론이나 기독교주의 이론도 이와 같은 오류를 범하고 있다.

따라서 억압과 강제는 내 소원이 좌절되는 과정에서 다른 사람들이 직접적으로 개입했느냐에 달려 있다. 이런 방식으로 자유를 이해한 최초의 학자가 바로 토마스 홉스이다. 여기서 벌린은 홉스의 『리바이어던』 2부 5장에 등장하는 자유의 개념을 인용하고 있다. 그 부분을 길게 인용해 보자.

> "자유인이라는 것은 그의 힘과 가치에 의해 행할 수 있는 일에 있어서 그가 하고자 하는 의사를 가진 것을 행하는 데 방해를 받지 않는 사람이다. (…) 그러므로 예를 들어 그 길이 확 트였다고 말한 경우에는 그 길의 자유를 의미하는 것이 아니라, 그 길을 정지당함이 없이 걷는 사람의 자유를 의미하는 것이다. (…) 그러므로 우리가 '자유롭게 말한다'고 하는 경우에 그것은 음성이나 발음의 자유가 아니라 어떤 법률도 그가 행하는 식 외의 다른 식으로 말하도록 구속하지 않는 사람의 자유인 것이다. 끝으로 자유의사라는 말을 사용하는 경우에는 의사, 욕망 또는 취향의 자유가 아니라 그 자유의사를 갖는 사람의 자유를 의미한다. 자유는 인간이 하고자 하는 의지, 욕

망 또는 취향을 행하는 데 있어서 아무런 장애물이 없는 상태에 존재하는 것이다."[14]

위의 인용문을 보면 홉스는 의지와 행위 자유를 동일한 연장선에서 논의하고 있으며 외부적 강제력의 대표적인 형태로 법을 들고 있다. 이런 논리에서 보면 사회계약을 통해서 성립된 리바이어던과 법적인 구속은 나에게 외부적 강제력에 해당한다. 그런데 벌린은 이러한 홉스의 주장을 소극적 자유를 설명하는데 그대로 채택하고 있다. 즉 자유란 내 활동에 누구도 간섭할 수 없는 상태이다. 그렇지만 무제약적인 제약은 현실에서는 불가능하다. 왜냐하면 모든 사람들이 자신의 의지대로 행동한다면 사회는 혼돈상태를 피할 수 없기 때문이다. 그래서 일정한 법적 구속과 제약은 인정되어야만 한다. 그러나 그것은 내 생명보호라는 목표를 실현하기 위한 전제조건이 필요하다. 이것이 바로 홉스가 생각했던 자유의 범위이며 리바이어던의 실천 목표이다. 벌린에 따르면 이러한 개인의 자유와 국가의 역할이야말로 영국이 창조한 자유주의 정치철학의 원리이다. (독재나 부당한 간섭)...으로부터의 자유, 즉 소극적 자유가 자유주의 핵심이다.

14 홉스, 『리바이어던』, 289쪽.

"에라스무스 시대부터(오컴에서 그 기원을 찾는 사람도 있을 수 있다.) 현재의 우리 시대에 이르기까지 근대 세계의 자유주의자들은 자유를 이런 방향에서 인식했다. 시민의 자유 및 개인의 권리를 옹호하고, 착취와 모욕, 공공 권위에 의한 침해, 선동 및 관습에 의한 최면 등에 항거하는 주장은 모두 인간을 이처럼 개인주의적으로 파악하는 - 그리하여 계속 논쟁의 대상이 되어 온 - 사고방식에서 나온다."[15]

그런데 적극적 자유를 주장하는 사람들은 자유의 의미를 사회적으로 확장시켰다. 대표적인 사람이 밀즈(Mills)이다. 밀즈는 자유란 인간의 천부능력을 성장시키는 필수적인 요인이라고 말한 바 있는데, 벌린이 보기에 이것은 대단히 예외적인 것이다. 또 자유의 범위를 지나치게 확장시켰다. 적극적 자유를 주장하는 사람들이 봉착하는 가장 큰 딜레마는 자유와 민주주의 상관관계를 규정하는 일이다. 만일 독재정권에서 독재자가 자유주의적 심성을 가지고 있어서 백성들에게 많은 양의 개인적 자유를 허용했다고 가정해 보자. 이때 이 사회는 독재사회인가 자유주의 사회인가? 만일 독재사회에서 개인이 자신의 천부 능력을 성장시켰다면 밀즈는 과연

15 벌린, 박동천 역, 『이사야 벌린의 자유주의』, 아카넷, 2006, 356쪽.

이 사회를 뭐라고 규정할 것인가? 이 문제에 대해서 벌린의 대답은 매우 확고하다. 즉 개인적 자유와 민주적 지배는 필연적인 연관관계가 아니다.

> "나를 지배하는 이가 누구인가라는 질문에 대한 대답은 '나에 대한 정부의 간섭이 어느 정도인가?'라는 질문에 대한 대답과는 논리적으로 다른 종류이다. 그리고 소극적 자유의 개념과 적극적 자유의 개념 사이에 존재하는 차이가 결국은 바로 이 구분과 맞닿게 되는 것이다."[16]

벌린의 생각을 한마디로 요약하면 민주정치 체제가 아니어도 개인의 자유는 보장받을 수 있다는 것이다. "나를 지배하는 사람이 누구인가" 또는 "누가 지도자가 되어야 하는가?"라는 질문은 개인의 자유와는 다른 형식이다. 그것은 이른바 사회적 제도와 관련된 것이고 이를 두고 적극적 자유라고 구분한다. 적극적 자유는 내가 스스로 내 인생의 주인이 되고자 하는 의지이다. '나는 나 자신의 주인이다'라는 표현이 과연 무엇을 의미하는가? 적극적 자유를 지지하는 사람들은 자아란 일종의 사회조직 전체이며, 개인은 그

16 벌린, 『이사야 벌린의 자유주의』, 359쪽.

것을 구성하는 한 부분이라고 주장한다. 이런 관점은 부족, 인종, 국가 등을 아울러 모든 것을 사회적 실체로 파악하고, 산 자와 죽은 자까지를 포함하여 거대한 사회를 진정한 자아의 원천이라고 생각한다. 따라서 구성원에게 전체의지를 부과하려고 하며, 개별자들에게보다 높은 자유를 성취하기 위해서 자신의 이기심을 버리라고 강제한다. 더 숭고한 자유를 위해서 작은 자유는 희생하라는 것이다. 더 숭고한 자유란 무엇일까? 벌린의 입장에서는 도저히 받아들일 수 없는 개념이다. 고대 스콜라 철학자들, 프랑스 대혁명을 주도했던 자코뱅파들, 노동자를 위한 사회를 건설하려 했던 공산주의자들, 그리고 이성을 기반으로 윤리적 공동체를 만들려 했던 칸트주의자들이 바로 적극적 자유를 주장했던 이론가들이다. 벌린에게 이들이 주장하는 숭고한 자유, 진정한 자아실현, 정의로운 사회구현 따위의 구호는 오히려 개인의 자유를 억압하는 새로운 강제에 불과하다. 왜냐하면 그것은 '정의로운 권위주의'일 수도 있기 때문이다.

보다 구체적으로 벌린은 적극적 자유를 주장하는 사람들이 저지른 실수를 다음과 같이 요약한다. 첫째, 모든 인간에는 오직 하나의 목적이 있다고 생각한다. 둘째, 모든 합리적 존재들의 목적은 보편적이며 조화로운 단일 패턴에 반드시 꼭 들어맞는다. 셋째, 모든 갈등은 순전히 이성이 불합리적인 것과 충돌했기 때문에 발생한 것이다. 넷째, 모든 사람이 합리적이게 되면 자기 자신의 본성에서 나오며 모든 사람의 경우에 똑같이 한 가지인 합리적인 법칙에 복종할 것이다.[17] 그러나 벌린의 입장에서 이러한 가정은 비현실적이다. 왜냐하면 인간의 자유는 사회구성원이나 국가의 조직 안에서 이루어지기보다는 독립된 인간 활동 자체에서 생겨나는 것이기 때문이다. 벌린의 눈에는 계급, 집단, 민족 안에서 인격을 찾으려는 시도는 권위적 영역에 대한 질문을 피할 수 없다. 다시 말해 공적 인격이라는 것도 개인의 사적 자유를 보장하지 못한다면 또 하나의 외부적 강제가 될 수밖에 없다. 이러한 의미에서 홉스의『리바이어던』은 개인의 자유가 무엇인지를 보여주는 매우 중요한 텍스트이다.

벌린의 자유론은 1958년 옥스퍼드대학의 교수취임 연설에서 나온 것이다. 그런데 40년 뒤 1998년 스키너는 케임브리지대학 석좌교수 취임식에서「자유주의 이전의 자유」를 발표하면서, 벌린이 제시한 소극적 자유에 대해 비판한다.[18] 스키너의 연설을 한마디로 요약하면 다음과 같다. 즉, 홉스의 자유주의론에서 핵심은 법적 인격으로 형성된 국가이며, 자유로운 국가란 자유로운 인격체로서의 인간과 마찬가지로 스스로를 지배할 수 있는 능력을 갖춘 국가이다. 여기에는 인민의 동의가 특히 중요하다. 스키너가 강조하는 홉스의 텍스트를『리바이어던』에서 찾아 인용해 보자.

17 벌린,『이사야 벌린의 자유주의』, 397쪽.

18 스키너, 조승래 역,『퀜틴 스키너의 자유주의 이전의 자유』, 코기타툼, 2007.

" 인간이 자유라는 미명에 기만되고 판단력의 부족 때문에 오직 대중의 권리인 자유를 개인적 유산물이나 천부적 권리로 오해하는 것은 용이한 일이다. (...) 세계의 서반구에 사는 우리는 국가의 제정과 권리에 관한 우리의 사상을 아리스토텔레스, 키케로, 그 밖의 그리스인이나 로마인들로부터 흡수하기 마련인데, 이들은 민주국가에 살면서 이 같은 권리를 자연의 원리에서 찾는 것이 아니고 그들 자신의 국가의 관행으로부터 추출하여 이를 그들 저서에 남겨 놓았다. (...)우리는 우리가 국가를 제정할 때 양도한 권리가 무엇인가, 또는 우리가 우리의 주권자로 추대한 인물이나 집단이 모든 행위를 승인함으로써 우리 자신이 부인한 자유가 무엇인가를 고려해야만 한다."[19]

여기서 홉스는 키케로를 언급하면서 자신의 국가론에 로마 전통이 남아 있다는 점을 밝히고 있는데, 스키너는 이것을 중요하게 생각하고 있다. 스키너에 따르면 홉스 이전에 자유국가라는 개념이 존재하고 있었는바, 스키너는 그것을 바로 신로마적 전통이라고 부르고 있고, 대표적인 학자로 키케로를 꼽고 있다. 또 그는 마키아벨리의 후기 저작인『로마사』를 인용하면서 타인에게 종속되지 않고 자유의지로 사는 것이 자유라고 말했던 부분을 강조한다.

19 홉스,『리바이어던』, 292-293쪽,

스키너는 17세기 혁명 기간에 의회파가 왕권에 대항하여 싸운 시기를 높이 평가하면서, 이 시기에 왕정의 지배로부터 벗어나 인민들이 자유인으로 사는 이상을 꿈꾸었는데, 이것을 실현하기 위해 자신이 동의한 법체계 안에서 국가권력이 행사되도록 만들었다. 스키너에 따르면 『리바이어던』에서 홉스가 생각했던 정치공동체는 대다수 대중이 각자를 행위의 장본인이라고 생각하는 하나의 법인체였다. 이러한 생각을 당대의 법률적인 용어로 표현한 것이 바로 "의회 안의 군주(Crown-in-parliament)"라는 개념이다. 즉 군주의 대권을 실정법 체계 안에서 제한하도록 만들자는 것이었다.

> "헌정의 위기가 심화되자, 새로운 목소리가 이러한 오래된 주장들을 뚫고 나타났다. 주권의 진정한 주체 혹은 소유자는 자연인으로 왕도 아니고 자연인들의 단체도 아니며, 그것은 차라리 국가라는 법인이라는 주장이 제기된 것이다. 이러한 주장의 전례는 우선 로마법 법률가들 가운데서 찾아볼 수 있다."[20]

이러한 관점에서 보면 자유란 자신의 의지를 마음대로 행할 수 있도록 외부적 강제력을 배제한 상태가 아니다. 자유란 자신의 의

20 스키너, 『퀜틴 스키너의 자유주의 이전의 자유』, 63쪽.

지와 공동체의 목표가 부합하도록 행동하는 것이며, 이때 자유란 시민의 덕성과도 같은 개념이다. 이러한 자유개념의 철학적 기원은 물론 로마법에 있지만, 홉스는 이점을 새로운 시각으로 해석하고 있다. 홉스는 법의 강제력도 개인의 자연적 자유를 훼손할 수 없다고 말한 바 있는데, 스키너의 눈에는 이것이 바로 신로마적 전통과 맥을 같이 하고 있는 것으로 보인 것이다. 또한 이것은 의회파의 주장과 일부분 일맥상통한 것으로 해석된다. 즉 개개인이 자신의 육체를 마음대로 움직일 수 있을 때 자유로운 것처럼, 국가도 자신의 목표를 실현할 수 있도록 권력을 행사할 때 자유롭게 된다. 그러므로 자유로운 국가란 스스로를 지배할 수 있는 능력을 가진 국가를 의미한다. 이때 스스로 지배한다는 것은 구성원들의 의지에 따라 권력을 행사한다는 것을 가리킨다. 더구나 이때 구성원들의 의지란 개별시민들의 총합을 넘어서는 것이다.[21]

21 개별시민의 총합에 대한 해석은 후대의 정치사상의 발전에 중요한 쟁점이 된다. 개별시민의 총합을 로크의 다수결의 원칙이라고 한다면, 개별시민의 총합을 넘어서는 무언가로 규정한 사람은 바로 루소이다. 루소의 일반의지라는 개념은 로크의 다수결의 원칙이 민주주의 정신을 훼손하는 위험스러운 개념으로 보고 비판한다. 이점에 대해서는 루소를 다루는 장에서 상세하게 설명하겠다. 어쨌든 자유민주주의 커다란 흐름은 권력의 목표가 개인 의지의 총합에 있는가? 혹은 개인 의지의 총합을 넘어서는 것에 있는가에 따라 양분될 수 있다. 전자를 소극적 자유주의라고 한

"이러한 전제로부터 많은 헌정적 함의가 나왔고 신로마적 이론가들은 대부분 예외 없이 거기에 동의했다. 그 하나가 만약 어떤 국가 혹은 공화국을 자유국가 혹은 자유 공화국이라고 부르려면 그것을 지배하는 법이 - 그 조직체의 운동을 규제하는 규칙이 - 모든 시민들의, 즉 하나의 전체로서 정치체 구성원들의 동의에 의해서 만들어져야 한다는 것이다."[22]

이렇게 두고 보면 시민들이 입법에 참여할 수 있는 권리가 자유주의 국가의 핵심적인 내용이 된다. 이러한 맥락에서 보면 이것은 자유론보다는 평등론에 가깝다. 왜냐하면 입법권의 참여만이 정치체가 구성원의 동의를 얻어 낼 수 있는 유일한 방법이기 때문이다. 이러한 주장은 결국 정치참정권의 확대로 이어진다. 18세기 노동자와 여성참정권에 대한 논의가 활발해지고 실천될 수 있었던

다면 후자는 적극적(공동체적) 자유주의라고 할 수 있겠다. 20세기 미국 정치철학에서도 이러한 구분은 여전히 유효하다. 전자를 대표하는 사람이 노직이라고 한다면, 후자를 대표하는 사람이 마이클 샌들이다. 또 한국의 자유주의도 이러한 이분법으로 설명할 수 있을 것이다. 전자를 대표하는 정치세력이 보수주의라고 한다면, 후자를 대표하는 정치세력이 진보주의라고 부를 수 있을 것이다. 너무 단순한 이분법인가?

22 스키너, 『퀜틴 스키너의 자유주의 이전의 자유』, 82쪽.

것도 결국은 평등한 참정권에 대한 주장이 반영된 것이다. 이러한 이유로 인해서 스키너의 자유론은 적극적 자유라는 개념보다는 공동체적 자유론이라는 단어가 더 적절해 보인다. 국가가 건강해지는 것은 개인의 이해관계를 실현시키는 방법이 아니라 공동선을 찾아내어 실천할 때 가능하다고 보기 때문이다. 이러한 맥락에서 군주의 권한보다는 의회 권력이 더 강해져야 한다. 왜냐하면 의회란 시민들의 의지를 대표하는 기관이기 때문이다. 그래서 대의제적 정부형태가 필요하다. 그리고 홉스도 대의제에 대한 중요성을 알고 있었다는 것이 스키너의 평가이다.

벌린과 스키너의 이론대립을 살펴보면서 내릴 수 있는 결론은 홉스의『리바이어던』안에는 절대적 왕권을 추구하는 왕당파와 대의제 정부를 강조했던 의회파 양자가 모두 의지할 수 있는 이론적 자원이 담겨 있다는 것이다. 어쩌면 당시 정국이 워낙 위험스러웠고, 어느 쪽으로 세력 다툼이 결정될지 예측하지 못한 상황에서, 민감한 정치적 사안을 다루는 홉스의 입장도 당연히 조심스러웠을 것이다. 다시 말해 왕당파와 의회파 중에서 어느 쪽이 권력을 획득하던 자신의 안위를 보존할 수 있는 정치 철학적 입장을 유지할 수 밖에 없었다. 그러나 이러한 이중적 태도가 반드시 홉스 개인의 안위에만 달린 문제는 아닐 것이다. 자유주의 정치의 본질이 바로 절대권력을 가진 통치자와 시민의 의지를 대변하는 의회와 균형감각을 실천하는 데 있기 때문이다. 이것은 21세기를 살아가는 한국정치도 마찬가지 아닐까?

3장 | 한국사회와 홉스

홉스의 사상적 의미를 대한민국 현실에 적용해 볼 수 있을까? 특히 정치적 대표성이라는 개념을 집중적으로 조명하면서 한국 현대사에 쟁점이 되고 있는 문제를 살펴볼 수 있을까? 필자는 이와 관련하여 "건국 논쟁"이 좋은 사례라고 생각한다. 건국 논쟁은 대한민국의 시작을 언제라고 보아야 하는가에 대한 입장 차이다. 이에 대해서 한국의 학계와 정치지형은 크게 세 가지 유형으로 구분된다. 첫째는 진보적 입장이며, 둘째는 운동권의 시각이고, 셋째는 보수적 주장이다. 첫째가 건국의 의지를 강조한다면, 둘째는 건국의 계급주체를, 셋째는 건국의 법적 절차를 강조한다. 세 가지 부류의 입장을 세부적으로 이해하는 것은 건국이라는 쟁점을 넘어서 현대 한국정치의 근본적인 의견대립을 파악하는 것이라고 볼 수 있다.

대한민국 건국의 시점은 1919년인가 1948년인가? 상해임시정부와 이승만 정권의 출범을 두고 진보와 보수 사이에 뜨거운 논쟁이 있었다. 그리고 여전히 이 문제는 한국사회에서 뜨거운 감자에 해당한다. 사회계약론에 의해서 국가를 건설한다는 논리를 처음으로 주장한 학자가 홉스인 만큼, 대한민국의 건국 논쟁에 대해서 홉스적 관점으로 접근해 보는 것이 매우 의미 있는 작업이 될 것이다. 또 1980년대 운동권에서 건국의 주체에 관하여 심각한 문제제기가 있었다. 1948년의 정부건설은 민중들의 합의가 아니라 특권계급들의 이해관계가 반영된 것이기 때문에 인정할 수 없다는 주장이다. 홉스의 국가건설에서는 나타나지 않는 식민지 국가건설에 대한 시각을 제공한다는 점에서, 한국의 특수성을 사고하는 데 좋은 계기가 될 것이다. 우선 각 진영의 논리를 간단하게 살펴보자.

진보진영의 주장은 다음과 같다.

첫째, 대한제국 말기에 지식인들 사이에서 유교의 군신관계를 넘어서는 자유주의 주권론에 대한 논의가 있었다. 대한제국이 일제의 강압에 의해서 군주정을 종식당하였지만, 이것은 국민들의 합의에 의한 것이 아니었다. 그리고 이후에 전개되는 대일저항운동과 국권회복운동을 통해서 대한민국의 주권을 되찾으려는 시도를 전개했는데, 여기에 자유주의적 주권개념이 자리 잡고 있었다. 이러한 정신이 제도로 승화된 것이 바로 대한민국 임시정부이다.

둘째, 1948년에 공포된 헌법 전문에 "유구한 역사와 전통에 빛나는 우리 대한민국은 기미 삼일운동으로 대한민국을 건립하여 세계에 선포한 위대한 독립정신을 계승하여 이제 민주독립 국가를 재건함에 있어서"라고 천명한 것을 근거로 든다. 건국의 정신이 먼저 존재했고, 임시정부를 통해서 그 맹아가 표현되었으며, 1948년 정부수립에 의해서 국가의 형태가 갖추어졌다는 주장이다. 1948년 대한민국 정부 공보부에서 발행한 문건의 발간연도가 대한민국 30년이라고 표기되어 있는데, 이것은 이승만 정부에서 건국의 기원을 임시정부로 인정했음을 보여주는 증거이다.

셋째, 안창호가 신민회를 창설하면서 공포한 결의문에 보면 "황실은 이미 한국이 아니고 한국으로 남아 있는 것은 2천만 민족이다"라는 말을 남겼는데, 이것은 유교적 질서를 넘어서 인민의 정신이 근대국가를 만들어 낸다는 홉스적 논리에 가깝다고 볼 수 있다.

넷째, 1917년 신규식 등이 결성한 대동단결선언문에는 "황제 순종의 주권포기는 국민동지에 대한 묵시적 선위이며 이로 인해서 대한제국의 주권은 한민족 전체에 있다"고 명시되어 있다. 이것은 황제의 권위상실이 주권의 포기가 아니라 국민 전체로 다시 이양되는 것이며 황제의 잘못으로 나라를 잃었지만 민족들은 저항하여 국가를 되찾으려 한다는 정신을 보여주고 있다. 이는 근대적인 의미에서의 저항권이라고 볼 수 있겠다. 이러한 근거를 토대로 3.1운동 정신을 계승한 임시정부가 대한민국 건설의 기원이라고 주장한다.

한편 운동권에서도 국가건설에 대한 이론적 도전이 있다.

첫째, 1985년을 기점으로 한국 지식인 사회에서는 "사회구성체 논쟁"이 발생했는데, 여기서 신식민지 반봉건 사회를 주장했던 일군의 학자들과 운동권 세력은 1948년 건국 과정을 미국 제국주의 세력에 의한 왜곡된 국가건설 과정이었다고 주장한다. 다시 말해 국가건설의 근간이 되어야 할 민중들은 존재하지 않았고, 이른바 미국에 기생하는 매판적 관료와 부르주아 계급들만이 제헌헌법과 정부 구성에 참여했다는 것이다.

둘째, 80년대 운동권 세력 중에서 제헌의회파(Constitutional Assembly)라는 부류가 큰 영향력을 발휘한 바 있다. 이들은 민중들의 기본적인 합의가 전제되지 않은 채, 특권적 계급이해만을 반영한 국가건설은 시작부터가 잘못되었으며, 따라서 지금이라도 다시 제헌의회를 소집하여 민중들의 전체의사를 반영하는 국가건설이 필요하다는 주장을 한 바 있다.

셋째, 대한민국의 국가건설은 세계자본주의 흐름과 미국의 세계전략에 따라 이해되어만 한다. 이승만 정권은 미국 제국주의의 하수인에 불과하며, 1948년 이후 한국의 발전경로는 주변부 자본주의라는 사회형태에 따라 변형된 것이다. 즉 자본축적의 논리와 미국이라는 중심국가의 지배를 받는 주변국의 형태로서 한국의 국가건설과정을 이해해야 한다는 주장이다. 따라서 한국의 국가건설은 내부적으로는 자본의 논리에, 외부적으로는 미국 제국주의 논리에 의해서 왜곡된 산물이다.

넷째, 제헌의회파(Constitutional Assembly)는 미국 제국주의 논리를 강조한 이론 흐름이며, 인민민주주의파(People's Democracy)는 자본의 논리를 강조한 운동권의 흐름이다. 즉 제헌의회파가 북한사회를 자주적인 민족공동체로 파악한 주사파의 전신이며, 인민민주주의파는 남한 사회의 자본주의 모순을 지적하면서 노동자와 농민을 중심으로 새로운 국가건설을 시도해 왔다. 전자가 과거 정의당의 사상적 주류였다면, 후자는 현재 민주노동당의 사상적 흐름이다.

반면 보수진영의 주장은 다음과 같다.

첫째, 국가구성에 대한 원칙을 주장한다. 독일의 헌법학자 옐리네크는 국가건설의 3대 요소가 국민, 영토, 주권이라는 점을 강조한 바 있다. 따라서 옐리네크의 논리에 따르면 1919년의 임시정부는 정상적인 국가가 아니다. 홉스적인 의미에서 정치적 대표성에 기대어 본다면, 1948년의 총선과 헌법의 구성만이 실질적인 국가 건설에 해당한다.

둘째, 주권의 개념은 최종적이며 절대적인 권위를 의미하는 것이다. 따라서 이러한 국가 주권은 다른 국가에 대하여 대등하고 평등한 독립을 주장할 수 있는 능력이 있어야 한다. 즉 1948년의 정부수립만이 실질적인 주권을 가진 국가건설이라는 뜻이다. 왜냐하면 유엔 총회를 거쳐 국제사회에서 승인을 받음으로써 대한민국은 비로소 국가의 자격으로 국제무대에 나설 수 있었기 때문이다.

셋째, 제헌 국회의원들의 의사록 발언을 정리해 보면 자신들이 계급이나 지역구의 대표가 아니라 국민 전체의 대표라는 사실을 분명히 인지하고 있었다. 그리고 헌법 기초위원회는 헌법심의를 위한 절차법으로 10개 항과 98개 조를 통과하고, 헌법제정을 통해서 정부가 만들어지도록 법률을 공포했다. 이것이 바로 홉스가 주장한 법인격을 갖춘 국가의 탄생에 해당한다.

넷째, 부산정치파동을 거치면서 정치권에서 이승만을 비판했던 논리 중의 하나가, 대통령이 국민주권을 빼앗는 반란적 쿠데타를 했다는 것인데, 이때 등장한 국민주권이라는 단어가 근대적인 의미에서 국가형태를 염두에 두고 나온 것이라는 주장이다.

필자가 보기에 이러한 진보-운동권-보수의 주장은 사실 정치적 의도가 짙게 배여 있다. 진보의 주장은 일제에 항거하는 독립투쟁을 강조하면서, 현대사에서 친일파의 세력을 물리쳐 보자는 의도가 있어 보인다. 또 운동권은 정치 진영 내에 노동운동의 교두보를 마련하기 위한 전략적 고려가 있어 보인다. 반면 보수에는 이승만 정권의 정통성을 확보하기 위해 실질적인 근대국가론을 제기하는 것으로 보인다. 그런데 세 진영의 논리에서 정치적 의도를 배제한다면, 건국 논쟁은 결국 주권의 원천이 어디에 있는가라는 질문으로 귀결된다. 간단히 말해 국민의 합의가 먼저인가 법적 인격성이 먼저인가 또는 시민들의 합의는 계급을 넘어서는가와 같은 질문이 중요한 까닭은 국가 건설과정에서 대표자가 선출되었을 때, 그 정당성의 기준이 무엇인가를 결정해야 하기 때문이다. 더구나 모든 인민이 대표자로 선출될 수 없는 만큼 나의 의지가 반영되지 않은 대표자의 결정을 개인이 수용한다 해도 논란이 될 수 있다. 유럽의 정치사상사에서는 이 문제를 해결하기 위한 학자들의 대안들이 다른 방향에서 발전해 왔다.

우선 로크는 인민의 동의에 기반하지 않은 채 대표자에게 정치적 결정을 위임하는 것은 논리적으로 모순이라고 생각했다. 따라서 그는 '명시적 동의'와 '묵시적 동의'라는 구분을 통해서 인민들의 동의가 반드시 대표자의 결정에 반영되어야 한다고 강조한다. 여기서부터 다수결의 원칙이 시작된다. 왜냐하면 인민들의 동의가 반드시 하나로 일치할 수 없기 때문에, 상충하는 의견들을 종합할 수 있는 유일한 길은 바로 다수결뿐이다. 결론적으로 대표자의 원칙이 인민의 동의에 기반하지 않고 있다는 점에서 로크는 홉스에

동의하지 않는다.

반면 루소는 대표자를 통한 의견의 통합이란 원칙적으로 불가능하다고 본다. 더구나 다수결이란 숫자의 놀이에 불과하다. 따라서 정치적 대표성은 일반의지라고 하는 형이상학적 원칙이 반영되어야 한다. 일반의지는 인민들의 개별의지의 총합이 아니기 때문이다. 그래서 루소는 대표제 민주주의가 아니라 직접 민주주의를 선호한다. 이러한 맥락에서 그는 아리스토텔레스의 후계자이다. 그렇지만 일반의지에 대한 기준은 무엇인가? 지나치게 형이상학적인 개념이 아닌가? 이 문제에 대해 명확한 대답을 내리지 못한 루소는 홉스의 문제를 해결한 것이 아니라 오히려 문제를 확대해 버렸다

이 지점에서 칸트와 헤겔이 등장한다. 칸트에게 대표성이란 이성의 공적사용이라는 형식으로 드러난다. 인간의 이성적 능력이야말로 정치발전을 기대할 수 있는 유일한 원천이다. 반면 헤겔에 있어서 대표성은 역사의 흐름과 관련이 있다. 칸트는 인간의 이성적 작용을 내면적 원칙으로 생각한 반면, 헤겔은 인간의 이성은 역사 속에서 인정투쟁을 거치면서 변증법으로 성숙해 간다. 이런 점에서 헤겔은 루소와 칸트를 종합하고 있다고 평가할 수 있겠다. 그래서 역사의 간지가 바로 정치적 대표성이라고 할 수 있다.

자유주의 정치철학에서 대표성에 대한 문제의식은 홉스로부터 시작되어 로크, 루소, 칸트를 거쳐 헤겔에 이르러 완성된다. 이 책에서는 바로 이 5명의 자유주의 정치철학자들의 사상을 본격적으로

다룰 것이다. 한편 자유주의 정치철학자들이 제시한 내용은 인민에 대한 계급성을 설명하지 않았다. 오히려 사회주의 이론가들이 바로 대표성과 계급에 대한 논의를 중점적으로 다룬다. 대표적인 학자가 바로 마르크스이다. 그러나 사회주의 이론가들이 제시한 대표성의 이론은 노동자라는 계급에 우선성을 두는 전제로 출발한다. 가난한 자, 착취된 자에게 정치적 대표성을 먼저 부여해야 한다는 논리는 적과 동지를 구분하는 전투 정치의 전범이 되었다.

자유주의와 사회주의의 이념적 대립이 종식된 지금, 21세기 사회에서, 과연 정치적 대표성은 어떻게 이해될 수 있을까? 그동안 행정적인 기법들이 여러 차례 시도된 바 있다. 예를 들어 국가 위기 상황에서 국민 전체 투표를 실시하는 것, 직능대표제를 확대하여 국회의원 선거를 하는 방식, 대표제 정치에 직접 민주주의 형식을 보강하는 방식, 국민 소환제를 실시하는 방식 등이 그렇다. 그러나 현대정치에서 시행되고 있는 제도적 보완장치들은 대표성의 정당성은 무엇인가라는 질문에 확실한 대답을 주고 있지 못하다. 그런 의미에서 우리는 이 문제를 해결하기 위해서 홉스의『리바이어던』을 둘러싼 고전적인 해석으로 돌아가지 않을 수 없다. 즉 주권의 성립은 법인격이 먼저인가 개인의 동의가 먼저인가? 그리고 개인은 개별자로 존재하는가 공동체 안에 소속되는가?

영국에서는 이 문제를 두고 벌린과 스키너가 이론적으로 대립한 바 있고, 미국에서는 연방 정부론과 지방 정부론이 이념적 대결을 벌인 바 있다. 한국의 건국 논쟁이 보다 학문적으로 깊이 있고,

미래지향적인 논쟁이 되기 위해서는, 일단 진영 논리를 벗어나는 것이 매우 시급하다. 또 한국사회는 진영 논리와 색깔 공세로 인해서 합의 주체에 대한 논의가 성숙되지 못한 채 현대사를 거쳐 왔다. 지금이라도 이 문제에 대한 진지한 학문적 숙의가 진행되어야 할 것이다.

특히 1980년대 이후 민주화의 주체를 민중으로 생각했던 운동권의 논리와 보편적인 시민권의 개념을 주장했던 보수주의 정당이 이념적으로 충돌해 왔다. 민중이라는 개념이 저항하는 하층 계급을 지칭하는 것이라고 할 때, 여전히 사회변혁을 기대하는 정치세력이 이 개념을 선호하는 것이 당연하다. 반면 시민권이란 법률적인 주체로 모든 권리와 의무를 동일하게 향유한다는 발상을 전제로 하는 만큼, 정치적 안정기에는 보편성을 토대로 정치가 이루어져야 할 것을 주장하며, 그래서 중산층이나 상층계급의 사회적 역할을 강조한다. 그렇다면 과연 한국은 여전히 변혁기에 머물고 있는가 아니면 안정화된 자유주의 정치시대에 살고 있는가? 이에 대한 대답이 바로 '민중인가 시민인가'라는 질문에 해결책을 제시할 수 있는 기준이 될 것이다. 그런데 이러한 모든 문제를 해결할 수 있는 사상적 출발점이 바로 홉스의 텍스트에 담겨져 있다.

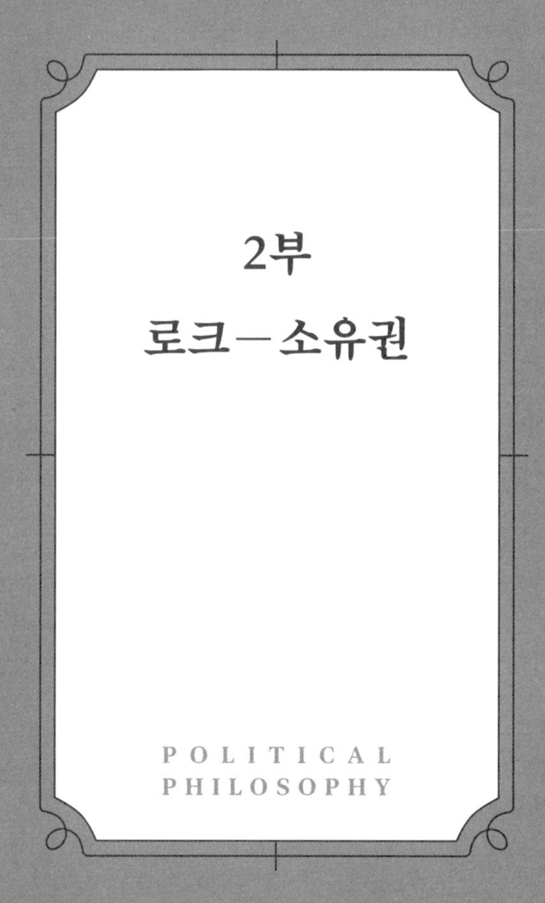

2부

로크—소유권

POLITICAL
PHILOSOPHY

1장 | 교부철학자들의 소유권

로크의 사상 중에서 가장 중요한 개념은 소유권이다. 로크는 『통치론』 5부에서 소유권에 대해서 자세하게 설명하고 있는데, 이는 홉스의 『리바이어던』과 비교하면 매우 이례적이라 할 수 있다. 왜냐하면 홉스의 자연상태는 목숨을 위협받는 상태이고, 계약을 통해서 국가를 만들어 내는 가장 중요한 이유도 생명을 보존하는 것이었다. 이와 달리 로크는 자연상태에서 가장 심각한 문제가 개인의 소유권이 침해되는 것이라고 보았다. 로크는 자연상태를 생명을 위협하는 전쟁상태로 파악하지 않는다. 오히려 자연상태가 초래하는 문제는 경제적인 것이다. 그래서 사회계약을 통해 국가를 만들 때 가장 중요한 목표는 개인들의 소유권을 법적으로 보장하는 것이다. 자유주의 정치철학에서 로크의 소유권에 대한 정의는 이후 루소나 칸트에게도 영향을 주었고, 20세기 현대정치사상가들(노직, 하이예크 등)에게 지대한 영향을 미치고 있다. 우리가 2000년대 이후를 신자유주의 시대라고 부르는데, 신자유주의란 1960년대 복지국가의 폐해를 극복하기 위해서 다시 자유주의 사상으로 복귀하자는 문제의식을 가지고 있으며, 이때 그 사상적 기원이 바로 로크이다. 따라서 자유주의 이념을 고찰할 때, 로크의 소유권은 핵심적인 개념이 아닐 수 없다.

그런데 로크의 소유권 개념은 중세시대를 풍미했던 이른바 교부철학을 비판하면서 새로운 시대에 필요한 소유권 개념을 정립한 것이다. 따라서 로크 이전 시대에 유행하던 교부철학의 소유권 개념을 상세히 살펴볼 필요가 있다. 이것은 반드시 로크 사상을 이해하기 위한 예비적 단계라는 의미를 넘어선다. 왜냐하면 교부철학은 로마 시대의 소유권 개념을 비판하면서 탄생한 새로운 사상이다. 로마 시대의 소유권은 지나치게 개인의 권리를 보장하여 빈부의 격차가 사회문제로 대두됨에 따라서, 이를 극복하기 위한 차원에서 제시된 새로운 개혁사상이기 때문이다. 한편 로크 이래 약 300년 가까운 시간을 자본주의 시대를 살아오면서 로크식 소유권 개념에 익숙한 우리 현실에서, 로마 시대에 있었던 빈부격차의 문제가 20세기 자본주의 사회에 다시 등장한 것이 분명하다. 따라서 교부철학의 소유권 개념을 살펴보는 것은 로크의 한계를 인식하고, 현대사회에서 소유의 문제를 해결하기 위한 예비적 고찰에 해당한다고 볼 수 있겠다.

로마 시대에 정립된 소유권 개념은 대토지의 사유를 인정하고, 노예제를 인정하며, 물건과 사람에 대한 배타적인 처분권을 인정한다. 이것은 인류가 고안한 소유권 개념의 가장 원시적인 형태이며, 로마법에 따른 기준은 현대사회에서도 존재하고 있다. 그러나 로마의 소유권은 소수의 사람들이 다수를 지배하는 것을 용인하는 법체계였다. 나아가 재산이나 자본을 최고의 가치로 여기는 우상숭배가 이로부터 당연한 것으로 여겨졌다. 그래서 유산계급과 무산계급이라는 사회적 적대관계를 유발시켰고, 사람과 사람의 관계가 사람과 사물의 관계로 뒤바뀐 형국이 되고 만다. 그리고 자연을 파괴하고 갈취하는 것이 재산 증식의 수단으로 인식하게 됨에 따라 오늘날 지구 생태계가 위협을 받는 지경에까지 이르고 말았다. 3세기경에 시작된 교부철학이 로마적 소유권 개념을 공격한 이유는 바로 이러한 사회문제에서 비롯된 것이다.[23]

우선 클레멘스의 소유권 개념부터 알아보자. 이 사람은 기독교 소유권 개념의 창시자로 불리는데, 그가 제시한 소유권은 성경에서 강조한 코이노니아와 깊게 연결되어 있다. 그는 소유권이 부를 자기 뜻대로 사용하는 권리가 아니라고 말한다, 부와 재물은 하느님의 뜻대로 사용되어야 한다. 그의 주장에 따르면 하느님은 이 세상에서 살아가는 데 필요한 재화를 충분히 제공하고 있다. 그래서 일상생활에 필수적인 물건이 아닌 재화들, 예컨대 진주, 금 따위들은 하느님께서 땅과 바다에 감추셨다. 그래서 이러한 사치품들을 차지하려는 것은 잘못된 욕망이며, 다른 사람들을 희생시키는 것이며, 하느님의 뜻에 어긋나는 행동이 된다. 그러면서 클레멘스는 소유권을 연대의 개념과 연관 짓는다. 코이노니아는 공동체와 친교를 의미하는 단어인데, 이것은 사람들이 함께 살아가는 상호관계를 함축한다. 이러한 맥락에서 그리스 공동체에서는 공유

23 여기서 인용하는 교부철학에 대한 내용은 다음 책을 참조했다. 찰스 아빌라, 김유준 역, 『소유권; 초대 교부들의 경제사상』, 기독교문서선교회, 2015.

함, 나눔이라는 단어가 소유라는 단어보다 더 중요한 의미를 갖는다. 즉 모든 사물은 공동의 소유이며, 부자들이 더 많은 몫을 차지하려는 것은 잘못된 것이다. 소유의 목적은 코이노니아를 실천하기 위함이며, 이것은 궁핍한 자들에게 먹을 것을 나누어 주기 위한 것이다. 이러한 맥락에서 자신의 소유이기 때문에 재산을 자기 마음대로 사용하는 것은 비기독교적인 행위이다. 그래서 그는 검약을 강조하며, 생필품도 최소한의 용도로서 사용이 허용된다고 말한다.[24]

두 번째로 주목할 인물은 요한 크리소스 톰이다. 이 사람은 나중에 토마스 아퀴나스의 스승이 되면서, 교부철학을 완성하는 데 많은 영감을 준다. 우선 그의 사상의 특징은 재산을 축적해서 자녀들에게 물려주는 것을 반대한 것이다. 이것은 하느님의 섭리에 맞지 않는다. 왜냐하면 하느님은 우리가 필요한 물건들을 이미 제공하셨고, 앞으로도 그렇게 할 것이다. 그런데 미래의 자녀들을 위해서 개인이 재산을 상속하는 것은 하느님의 섭리를 무시하는 행위가 되기 때문이다. 또한 부를 축적하는 것은 간혹 다른 사람을 해치는 행위가 될 수 있으며, 사적 소유권은 사회적 적대관계를 만들어 낸다. 특히 가난한 자들의 존엄성에 대해서 언급하면서 경제적

24 찰스 아빌라, 『소유권; 초대 교부들의 경제사상』, 84쪽.

인 궁핍이란 하느님이 원하시는 상태가 아닌 만큼, 부자들은 가난한 사람들에 대해서 책임감을 가져야 한다. 그는 처음으로 소유권과 사회정의라는 문제를 거론한 것이다. 하느님이 진정한 소유자이며, 우리는 그 앞에서 모두가 나그네이며 순례자일 뿐이다. 그래서 우리 모두가 같은 운명이고 만물의 소유권을 가진 하느님 앞에서 우리는 종에 불과하다. 따라서 하느님의 뜻에 따라 우리 모두 함께 잘 살 수 있는 길을 모색해야 한다. 그가 연대와 책임을 강조하고 있는 이유가 여기에 있다.[25] 그래서 실제로 크리소스 톰은 헌금을 걷어 가난한 자를 도울 것을 권고했고, 이것이 기독교 공동소유의 기초가 되었다.

세 번째로 아퀴나스가 있다. 아퀴나스는 교부철학을 완성한 사람이며, 그의 소유권 이론은 중세시대를 지배하게 된다. 일단 그의 스승의 가르침을 이어받아 아퀴나스도 신정공동체가 있다고 생각한다. 그래서 재산에 대한 개인의 권리는 신적 권리를 박탈하는 의미를 갖는다. 하느님이 모든 만물의 주인이기 때문에 개인의 소유권은 가능하지 않다. 물론 법적으로 재산권을 인정받을 수도 있지만 더 중요한 것은 재산을 사용하는 방법이다. 여기서 다시 한번 사치와 방탕에 대해 경고한다. 다른 사람이 생계도 이어가지 못한 상

25 찰스 아빌라, 『소유권: 초대 교부들의 경제사상』, 154쪽.

황에서 부자가 호화로운 생활을 한다는 것은 다른 사람의 재화를 낭비하는 것이나 다름없다. 그리고 남는 재산은 남의 것이라고 말한다. 다시 말해 내가 필요 이상으로 가진 것은 실제로 다른 사람의 것을 가진 것이나 다름없다. 가난한 자에게 무언가를 제공하는 것은 부자들의 재산을 분배하는 것이 아니라, 하느님이 주신 모든 재화의 권리를 다른 사람과 공평하게 나누는 것이다.[26]

필자는 지금까지 살펴본 세 사람의 교부철학을 다음과 같이 요약하고자 한다.

첫째, 모든 만물은 공동소유이다. 특히 토지에 대한 공동소유는 기독교 공동체에서 대단히 중요하다. 이를 "토지 공유제"라고 말할 수 있겠다.

둘째, 사람이 스스로 일해서 얻은 재화는 자신의 것이라고 인정할 수 있다. 성경에서 말하기를 "땀 흘려 일하지 않는 자는 먹지도 말라"는 격언이 바로 이것을 의미하는 것이다. 이 의미를 한마디로 "노동가치설"이라고 부를 수 있겠다.

셋째, 부자들이 너무 많은 재화를 가진 경우, 개인이 용도에 맞게 다 사용하지 못하는 경우, 그것은 자신의 재화가 아니다. 예를 들어 음식을 너무 많이 가지고 있어 다 먹지 못하고, 썩어 버리는

26 찰스 아빌라, 『소유권; 초대 교부들의 경제사상』, 170쪽.

경우 그 음식들은 자신의 것이 아니다. 이것을 "손상의 한계"라고 부를 수 있겠다.

넷째, 필요 이상으로 재산을 축적하여 다른 사람의 일상이 궁핍해지는 것은 허락되지 않는다. 세상에 재화는 일정한데, 한 사람의 부자가 너무 많이 가지게 되면 다른 사람이 가질 수 없다. 이것을 부에 대한 "충분의 한계"라고 부를 수 있겠다.

2장 | 로크의 소유권

로크의 소유권 개념은 위의 4가지 교부철학의 전제들을 비판하고 대안을 찾는 방식으로 전개된다. 『통치론』 5장을 중심으로 로크의 생각을 자세히 살펴보자. 기존의 연구문헌에서 자주 실수하는 것이 로크가 인용하고 있는 성경 구절이나 해석들을 마치 로크의 생각으로 오해하는 것이었다. 이러한 실수가 발생하는 근본 원인은 교부철학자들의 사상을 정확히 이해하지 못했기 때문이다. 따라서 필자는 아래서 소유권에 대한 교부철학과 로크의 사상을 선명하게 부각하는 방법으로 5장의 내용을 정리하고자 한다.

우선 5장 첫 문장은 『구약성경』「시편」 115장을 인용하면서 시작한다. 이 인용문은 만물은 하느님이 주신 것이며, 땅은 하느님이 주신 것이며, 따라서 인류의 공유물이라는 교부철학의 입장을 인정한 것이다. 다시 한번 강조하지만 이것은 로크의 생각이 아니다. 오히려 로크의 진정한 생각은 25절[27]의 마지막 문장에서 드러난다. 로크는 하느님이 주신 공유물에 대해서 명시적인 협의 없이도 소유권이 발생했는가를 설명한다.

26절에서는 '특정한 사람이 일정한 용도에 맞도록 사용하거나

27 로크, 강정인 역, 『통치론』, 까치, 1996. 이 판본에는 각 장의 내용을 소절 번호로 표시하고 있다.

그것으로부터 이득을 얻기 위해서는 이러한 저러한 방법으로 그것들을 수취할 수 있는 수단이 있어야 마땅하다'고 진술함으로써 소유권의 발생이 시작되는 계기를 암시한다. 그리고 27절에서는 인간의 노동력을 통해서 소유권을 인정하는 교부철학의 기본원리를 설명한다. 즉 인간이 자신의 인신에 대해서 소유권을 가지는 것은 당연함으로, 인간 신체의 노동과 손의 작업은 당연히 그의 것이다. 그래서 다음 문장은 이렇게 결론짓는다. '자연에 자신의 노동을 섞고 무언가 자신의 것을 보태면 그것은 그의 소유가 된다.'[28] 이러한 노동가치설에 입각한 소유권을 정당화하기 위해서 28절에서는 떡갈나무에서 열매를 주운 것이 어떻게 자신의 것이 되는가를 자세히 설명한다. 나무에서 도토리나 사과를 채취한 사람은 그것을 자기 것이라고 주장할 수 있다. 언제부터 가능할까? 그가 먹은 것을 소화했을 때, 아니면 그가 먹었을 때? 그것을 집에 가져왔을 때, 아니면 그가 주웠을 때? 이 4가지 예에서 정답은 그가 주웠을 때이다. 왜냐하면 노동이 투입된 시점이 바로 주었을 때이니까. 여기까지가 교부철학이 허락한 노동가치설이며, 노동을 통한 사적 소유를 인정한 것이다. 그다음부터 로크의 생각이 시작된다. 문장은 매우 짧고 간결하다. 우선 인용해 보자

28 로크, 『통치론』, 35쪽.

"나의 말이 뜯어 먹는 풀, 내 하인이 떼어온 잔디의 뗏장, 내가 다른 사람과 공유권을 가지고 있는 지역에서 내가 채취한 광물은 다른 사람의 양도나 동의 없이도 나의 소유물이 된다."[29] (밑줄은 필자)

위의 인용문에서 중요한 대목은 '내 하인이 떼어온 잔디의 뗏장'이라는 표현이다. 내가 직접 노동한 것이 아니라 다른 사람이 나를 위해 노동을 한 결과물도 내 것이라는 점을 강조하고 있기 때문이다. 이것이 교부철학의 노동가치설을 부인하고, 새로운 자본주의 시대의 소유권 개념을 개척한 첫 번째 시도이다. 이것을 이름 붙여 임금노동을 통한 소유권이라고 할 수 있겠다. 왜냐하면 내 하인이라는 것은 나의 종속물이라는 생각을 표현한 것인데, 이것이 발전하면 임금을 지불하고 다른 사람의 노동력을 구매할 수 있다는 개념으로 확장될 수 있기 때문이다.

다음으로 이어지는 로크의 사상은 손상의 한계에 대한 교부철학의 논리를 반박하는 것이다. 31절 하단에 보면 자신의 직접 주워온 도토리를 썩기 전에 먹어야 한다는 주장을 반복하고 있다. 하느님은 나에게 재화를 허락하실 때 무한정 준 것이 아니라, 내가 즐길 수 있을 만큼만 준 것이다. 따라서 너무 많이 도토리를 소유하여,

29 로크, 『통치론』, 36쪽.

다 먹지 못하고 버리는 경우가 발생한다면 애초부터 내가 주워온 도토리라고 하여도 내 것이 아니다. 즉 자신의 노동에 의해서 자신의 소유로 확정할 수 있더라도, 그 어떤 것도 인간이 썩히거나 파괴해 버리도록 하느님은 허락하지 않으신다.[30] 여기까지는 철저하게 교부철학의 내용을 반복하고 있다. 그런데 36절의 후반부에 가면 손상의 한계를 극복할 수 있는 신비한 대안을 제시한다. 그것은 바로 화폐를 재화의 축적수단으로 활용한다는 것이다. 화폐가 썩어 없어질 가능성은 없기 때문에 화폐가 재화를 대신함에 따라서 손상의 한계라는 교부철학은 의미가 없게 된다.

> "나는 다음과 같은 점을 감히 대담하게 주장하고자 한다. 화폐를 발명하고 묵시적 합의를 통해서 그것에 가치를 부여하고자 하는 인간들이 (동의를 통해서) 대규모의 재산과 그것에 대한 권리를 도입하지 않았다면, 재산에 관한 동일한 규칙, 곧 모든 사람은 자신이 사용할 수 있는 만큼 소유해야 한다는 규칙은, 세계에는 현재의 거주민의 두 배를 부양하기에 충분한 땅이 있기 때문에 어느 누구도 궁핍하게 함이 없이, 여전히 유효하게 남아 있을 수 있었을 것이다."[31]

30 로크, 『통치론』, 38쪽.

31 로크, 『통치론』, 42쪽.

세 번째로 32절에서 로크는 토지의 공유제에 대한 교부철학의 논리를 비판한다. 그는 대지에 대한 소유권은 인간이 개간하고, 파종하고 개량하여 지배하고 그 산물을 사용할 수 있는 만큼의 토지가 그 인간의 것이라고 말한다.[32] 이러한 논리는 주인이 없는 땅을 먼저 차지하고 경작을 하는 경우, 그것도 그 인간의 것이 된다는 이른바 '선점이론'의 발판이 된다.

"하느님과 인간의 이성은 인간에게 대지를 정복할 것, 곧 삶에 이익이 되도록 그것을 개량하고 그것에 그 자신의 것인 그의 노동을 첨가할 것을 명하였다. 하느님의 이러한 명령에 복종하여 토지의 일부를 경작하고 씨를 뿌린 사람은 그것을 통해서 그의 소유인 무엇인가를 그 토지에 첨가한 셈이다. 따라서 다른 사람은 그것에 대한 아무런 권리를 주장할 수 없으며, 그에게서 그것을 빼앗고자 한다면 그의 권리를 침해하는 것이 된다."[33]

"어떤 사람이 울타리를 치는 행위로 인해 다른 사람에게 토지가 적게 남아 있는 일이란 있을 수 없다."[34]

32 로크, 『통치론』, 38쪽.

33 로크, 『통치론』, 39쪽.

34 로크, 『통치론』, 39쪽.

토지 선점이론은 영국인이 미국 대륙에 이주하여 토착민의 땅을 선점하고 경작을 한 것을 정당화한다. 당시 영국에서는 이러한 행위가 아메리카 인디언들에 대한 착취행위라고 비난하는 여론이 있었지만, 로크는 이러한 비난을 잠재우기 위해서 한계를 극복할 수 있는 새로운 논리를 제안한다. 그것이 이른바 "생산성의 논리"이다. 37절에서 새로운 논리가 길게 설명되고 있다. 한마디로 요약하면 다음과 같다. 아메리카 인디언들은 1에이커의 땅에서 1포대의 식량을 생산했지만, 영국의 이민자들이 이 땅을 선점하고, 경작한 후에는 1에이커의 땅에서 10포대의 식량이 생산되었다면, 이민자들의 선점은 충분히 정당성을 인정받을 수 있다는 것이다. 왜냐하면 더 많은 식량을 생산했으니, 인디언에게 1포대를 주고, 나머지 9포대의 식량으로 다른 사람을 먹여 살릴 수 있기 때문이다. 생산성의 증가에 대한 믿음은 소유권의 사상을 혁명적으로 바꾸어 놓았을 뿐만 아니라, 영국이 다른 국가를 지배하고 식민지 제국을 건설하는 데 막대한 영향력을 행사하게 된다. 대표적인 예가 인도의 사례이다. 영국이 인도를 식민지로 삼고 경영하는 것은 미개한 인도들을 개화시키고, 굶주림에 있던 인도사람들에게 풍부한 식량을 제공하는 계기가 되었기 때문에, 영국의 인도 지배는 정당한 것이라고 주장한다. 이러한 논리는 훗날 일본학자들에게 전수되어 일본의 한반도 식민지배가 60년대 경제발전을 이루게 된 원동력이 되었다는 학설로 나타난다. 이것이 바로 식민지 근대화론이다.

"아메리카인들의 몇몇 나라들처럼 이 점을 명백히 입증하는 사례는 없다. 이들 나라들은 땅은 풍부하게 가지고 있지만 삶의 편익에 있어서는 빈곤하다. (...) 그들은 노동을 통해서 그 땅을 개간하지 않았기 때문에 우리가 향유하는 편익의 100분의 1도 누리지 못하고 있다. 그리하여 거기서는 광대하고 비옥한 영토의 왕이 영국의 일용노동자보다 의식주에서 훨씬 못 살고 있다."[35]

35 로크, 『통치론』, 46쪽.

3장 | 맥퍼슨과 존던: 로크에 대한 두 가지 해석

로크의 소유권에 대한 해석은 중요한 쟁점을 두고 상이한 해석이 존재한다. 로크가 화폐 도입을 통해서 개인 소유권의 무제한적인 확장을 주장한 것은 과연 자본축적의 논리를 옹호한 것인가, 아니면 단순히 왕의 자의적인 소유권 침해로부터 개인 소유권을 지키기 위한 것인가? 이 두 가지 의견이 바로 중요한 쟁점이다. 전자의 입장을 대표하는 인물이 맥퍼슨이고, 후자의 입장을 대표하는 인물이 존던이다. 그런데 이러한 두 가지 상이한 해석은 현대 자본주의 사회에서 소유권의 정당한 범위가 어디까지 인정되는가라는 문제를 두고 서로 다른 해결책을 제시할 수 있는 만큼 진지하게 고민해야 할 주제이다.

우선 맥퍼슨의 입장부터 정리하자. 그는 『소유적 개인주의의 정치이론』[36]의 로크의 소유권 이론이라는 절에서 로크를 중상주의자로 규정한다. 맥퍼슨에 따르면, 로크가 집필한 『화폐에 관한 고찰』에 교역을 촉진하는 데 충분한 화폐의 공급이 중요하다고 기술되어 있는 것으로 보아, 로크가 화폐의 중요성을 인식하고 있었다는 사실을 확인할 수 있다. 그리고 통치론의 48절에서도 화폐의 도

36 맥퍼슨, 이유동 역, 『소유적 개인주의의 정치이론』, 인간사랑, 1991.

입이 상품교환의 순간에 소유물을 확대할 기회를 준다고 표현하고 있다. 따라서 화폐의 도입은 인간이 필요 이상의 것을 가지려는 욕구를 만들어 냈고. 화폐는 다른 상품과의 교환관계를 만들어 낼 수 있는 또 하나의 상품의 기능을 갖는다. 그래서 맥퍼슨은 결론적으로 말하기를 화폐의 독특한 목적은 자본으로 봉사하기 위한 것이다. 즉 화폐는 교환의 매개를 넘어서 자본의 기능이 있다.

"이제 우리는 부차적으로 화폐에 대한 로크의 태도가 얼마나 근대적인가를 알 수 있다. 로크는 화폐의 대부에서 나오는 이자의 취득이 인간사회의 조직과 일상사의 필연성에 따라 피할 수 없는 동시에 정당하기까지 하다고 주장함으로써, 중세적 견해를 부정한다는 인상을 풍기지 않고서도 교묘히 그것을 폐기해 버렸다."[37]

"이제는 일정량의 산물을 결코 부패하지 않는 자산과 교환할 수 있게 되었기 때문에, 화폐로 전환하여 자본으로 이용할 수 있는 잉여분을 생산하기 위한 토지의 축적은 부당하지도 어리석은 짓도 아니다."[38]

37 맥퍼슨, 『소유적 개인주의의 정치이론』, 281쪽.

38 맥퍼슨, 『소유적 개인주의의 정치이론』, 284쪽.

그러나 존던이 보기에 맥퍼슨의 해석은 지나치다. 존던이 보기에 로크의 소유권에 대한 관심이 출발한 계기는 지배군주의 권리를 제한하려는 것이기 때문이다. 당시 왕이 신민들의 동의 없이 재화를 자기 마음대로 징발하는 관행을 비판하기 위한 것이었다. 이론적으로 왕당파의 이론가 필머가 주장하는 바를 논박하기 위한 것이었다. 즉 필머는 신이 모든 대지와 재화를 공유물로 주었고, 그 처분권은 왕에게 주었기 때문에, 왕은 자신의 선택한 바대로 신민들에게 소유물을 가져갈 수 있다고 주장했다. 이것은 당시 귀족들을 대변하는 휘그당에게는 대단히 큰 위협이었다. 로크가 주군으로 모신 섀프트베리 남작이 휘그당의 중심인물이었기에, 로크는 휘그당을 보호하는 논리를 전개하는 차원에서 필머의 소유권을 반대하는 이론을『통치론』에서 전개한 것이다. 그래서 로크는 일단 노동에 기반한 소유권 개념을 주장했다. 이것은 교부철학에서부터 전수된 개념으로 로크가 필머를 반박하기 위해 이용한 개념이다. 즉 신민들의 소유물을 처분하려는 왕의 주장을 반박하고 신민들의 소유권이 정당한가를 증명하기 위해서, 노동을 통한 소유권을 주장한 것이다.

그리고 화폐를 통한 소유권의 확장이 상업주의를 전제로 한 것에 대해서는 크게 설득력이 없다. 하인에게 유급노동을 시킨다는 표현이 등장하는데, 이것은 당시 영국사회의 관습에 불과하다. 따라서 이를 두고 자본주의 사회에서 임금노동을 의미하는 것이라고 해석하는 것은 무리이다.

"이 질문에 대한 가장 대담한 대답은 맥퍼슨에 의해 가장 인상적으로 제기되었는데, 그것은 로크가 그의 이론을 자본주의 생산의 도덕적 정당성에 대한 설명의 하나로 의도했다는 것이다(...). 그러나 결국 그 당시 영국의 경제 관계의 상당히 중심적인 모습이었던 것에 대한 비교적 무심결에 나온 이러한 인정만 가지고 자본주의 생산에 있어서 임금노동의 중심적 역할에 대한 로크의 열렬한 지지를 추론하기란 아주 어렵다."[39]

맥퍼슨과 존던의 의견대립은 자본주의 사회에서 재산권을 어느 정도 인정해야 하는가에 중요한 실마리를 준다. 결론부터 말하자면, 필자의 판단으로는, 로크의 재산권에 대한 생각은 무제한의 자본축적을 인정하는 것이 아니다. 오히려 사회적 합의에 따라 화폐로 인한 자본 축적도 일정한 부분 제한이 있어야 한다는 것으로 해석해야 한다. 이렇게 두고 보면 존던의 입장이 옳다. 필자가 이렇게 판단하는 근거를 로크의 텍스트에서 찾아서 인용해 보자.

"자연은 소유권의 한도를 인간의 노동의 정도와 삶의 편의에 따라 적절하게 규정한다. (...) 이러한 한도는 모든 사람의 소유를 매우 적

39 존던, 강정인 역, "로크의 사상", 『로크의 이해』, 문학과 지성사, 1995, 117-118쪽.

절한 정도로, 곧 태초에는 어떤 사람에게도 피해를 입힘이 없이 그 자신이 수취할 수 있는 정도로 제한하였다."[40]

"사람들은 묵시적이고 자발적인 동의에 의해서 한 인간이 그 자신이 그 생산물을 사용할 수 있는 것보다 많은 땅을 공정하게 소유할 수 있는 방법을, 잉여생산물을 주고 금과 은을 받음으로써 발견하였고, 그 결과 토지를 불균등하고 불평등하게 소유하는 데 합의했다는 점이 확실하다."[41]

첫 번째 인용문에서 우리가 알 수 있는 것은 소유권의 한도가 노동의 한계로부터 결정된다는 점이다. 즉 일한 만큼은 개인의 소유이며, 더 많이 일하면 그만큼 더 많은 재산을 소유할 수 있다. 이것이 교부철학의 소유권 이론이며, 이것을 로크가 그대로 받아들인 것이다. 여기서 중요한 점은 개인이 아무리 오랜 시간 일을 해도 그 소유 재산의 정도가 다른 사람의 몫을 침해할 정도가 될 수는 없다는 점이다. 그래서 '태초에는 어떤 사람에게도 피해를 주지 않고' 재산을 증식할 수 있었다. 그런데 재산을 증식하는 수단이 노동에서 화폐로 바뀌면서 이러한 상황이 달라진다. 즉 화폐를 통해 다른

40 로크, 『통치론』, 41쪽.

41 로크, 『통치론』, 53쪽.

사람의 노동력을 구매할 수 있는 상황이 되면서, 소유의 범위는 기하급수적으로 증가한다. 더구나 화폐를 통해서 토지를 구매하는 것이 가능해지면서, 소유권의 원천이 노동력에서 자본축적으로 변화하게 된다. 여기서 사회문제가 발생한다. 즉 토지를 독점하여 개인이 소유하는 순간 다른 사람들은 노동을 할 수 있는 기회조차 박탈당하기 때문이다. 이것은 '태초에 어떤 사람에게도 피해를 주지 않는다'는 로크의 기본가정에 위배된다.

여기서부터 첫 번째 인용문의 전제가 무너진다. 나의 노동으로 재산을 증식하는 것을 무한대로 허용할 수 있다는 전제가 무너진 것이다. 그러므로 로크는 두 번째 전제를 제시해야만 했다. 그것이 바로 두 번째 인용문에 등장한다. 금과 은으로 토지를 구입하고, 불균등하게 토지를 소유할 수 있는 근거는 다른 사람들이 동의를 해주어야 한다는 것이다. 원래 소유권의 성립에 있어서 동의라는 전제는 그로티우스가 만들어 낸 이론이었는데, 로크는 애초에 이것을 받아들이지 않았다. 왜냐하면 노동을 통한 소유권의 정당성을 옹호하는 것이 로크의 입장이었기 때문에 동의라는 개념이 개입되면, 노동이 타당성을 잃게 되고, 사회적으로는 왕의 지배권이 개인의 소유권을 침해할 수 있었기 때문이다. 그러나 화폐의 기능이 도입되고, 소유권의 불평등 문제가 나타나기 시작하면서, 로크는 새로운 해결책을 제시하지 않을 수 없었으며, 그 대안은 바로 동의라는 기존의 방법을 인정하는 것이었다.

이것은 공유지가 사라지고 토지에 대한 배타적인 소유권이 문제가 되는 시점에서 당연한 이론의 전회이다. 재산권을 둘러싸고 분쟁이 일어날 수 있는 상황에서, 한 사람의 독점적 소유가 다른 사람의 재산권을 침해할 수 있는 상황에서, 노동만을 기준으로 재산권의 성립을 이론화할 수 없기 때문이다. 그런데 여기서 동의란 사회상태에서의 동의이다. 사실 로크의 소유권 이론은 자연상태에서 개인이 가지고 있는 천부적 권리를 인정하기 위해서 만들어진 것이다. 개인의 소유는 국가가 성립하기 이전에 성립하며, 공권력과 법이 필요한 것은 개인의 소유권리를 공고히 유지하기 위한 것일 뿐이다. 이런 맥락에서 다시 보면 노동과 개인 소유권은 자연상태의 권리로서 한 짝을 이루는 개념들이다.

그런데 토지 독점이 문제가 되면서 이제 새로운 형태의 소유권 이론이 필요하게 된다. 즉 개인이 소유할 수 있는 재산의 범위를 사람들이 모여서 의논하고 그 한계를 결정해야 한다는 것이다. 그래서 자연상태의 소유권을 자연적 재산권이라고 한다면, 사회상태에서의 소유권 이론은 사회적 재산권이라고 불러볼 만하다. 필자가 생각하기에 로크 사상의 핵심은 바로 자연적 재산권과 사회적 재산권의 조화에 있다. 즉 로크가 천부적인 개인 소유권을 주장하였지만, 그것이 다른 사람의 소유권을 침해하지 않는 범위에서 인정되어야 한다는 것이다. 따라서 로크를 자본주의 사회에서 무한대의 자본축적의 원조로 생각하는 것은 잘못된 해석에 불과하다. 즉, 맥퍼슨의 입장이나 노직의 자유 지상주의는 로크의 과장된 해석이다.

그렇다면 로크가 말하는 동의에 의한 사회적 재산권은 어떻게 결정될까? 사실 이 문제에 대해 로크는 분명하게 대답하지 않는다. 다만 그는 재산권의 권리와 함께 의무(세금의 부과)를 제시하는 정도에 그치고 있다. 따라서 로크 이래로 여러 학자들이 이 문제에 대한 해답을 찾으려고 시도한 바 있는데, 그 대표적인 인물이 마르크스이다. 특히 마르크스는 개인의 소유권 자체를 부인하면서 공유제를 주장하고 있어, 다시 교부철학으로 돌아가고 있다는 인상을 준다. 그런데 로크와 마르크스는 양극단의 사상을 대표하는 사람인 만큼, 로크와 비교하면서 마르크스의 생각을 점검해 보면, 사회적 재산권의 결정 기준이 무엇인지 일말의 실마리를 찾을 수도 있을 것이다.

4장 | 마르크스: 노동의 소외와 자본의 유기적 구성

『통치론』 5부에서 로크가 제시한 '화폐를 통한 노동의 구매'와 '생산성의 향상을 통해 사적 소유권의 확대'가 가능하다는 주장을 반박하기 위해, 나는 마르크스의 글 2편을 살펴보려고 한다. 우선 마르크스의 『1844년 경제학 철학 초고』[42]의 "소외된 노동과 사적 소유"라는 글과 『자본론』 1권 하권 7편의 "자본의 축적과정"[43]을 분석함으로써 로크의 주장이 잘못된 것일 수 있음을 밝혀보려 한다. 물론 마르크스의 두 텍스트가 직접적으로 로크를 겨냥하여 쓰인 글은 아니지만, 마르크스가 스스로 밝히기를 국민경제학에 대한 비판의 글이라고 말하고 있듯이, 이 두 글을 통해서 로크의 입장을 비판할 수 있는 근거를 마련할 수도 있다고 필자는 판단하고 있다. 왜냐하면 로크는 정치철학의 입장에서 국민경제학(부르주아 경제학)을 대표한다고 볼 수 있기 때문이다.[44]

이러한 방법으로 로크와 마르크스를 비교하는 것은 자본주의

42 마르크스, 김세균 역, "1844년 경제학 철학 초고," 『칼 마르크스 프리드리히 엥겔스 저작선집』 1권, 박종철 출판사, 1991.

43 마르크스, 김수행 역, 『자본론』 1권, 비봉출판사, 1991,

44 마르크스가 "1844년 경제학 철학 초고"에서 비판의 대상으로 삼은 학자는 리카르도이다.

경제에서 자본의 축적을 통한 소유권을 어느 범위까지 인정해야 할 것이라는 논쟁에 정치철학적 근거를 마련할 수 있을 것이다. 로크가 자본축적의 이윤을 무한대로(?)[45] 인정하여 사적 소유권을 최대한 보장할 것을 주장한 학자라고 한다면, 마르크스는 자본축적의 이윤은 모두 철폐되어야 하고 모든 생산수단이 공유되어야 한다는 공적 소유권을 주장한 인물로 볼 수 있다. 따라서 이 두 학자의 견해차를 비교함으로써, 그 중간에서 한국사회가 요구하는 적절한 소유권의 범위를 책정할 수 있을 것이다.

우선 마르크스의 "경철수고"[46]를 들여다보자. 아직 성숙하지 못한(?) 글의 형식으로 마르크스는 국민경제의 이론적 토대를 비판하고 있는데, 이 중에서 거의 마지막 부분에 언급하고 있는 "소외

45 로크가 사적 소유권을 무한대로 인정하는 것으로 주장하는 학자는 맥퍼슨이나 노직일 것이다. 반면 로크의 사적 소유권에도 일정한 사회적 제한이 있어야 한다고 주장한 학자로 존던이나 롤즈를 꼽을 수 있겠다. 이러한 소유권에 대한 인정의 범위를 두고 고민하는 것은 한국사회에서 매우 시의적절한 작업이다.

46 마르크스의 "1844년 경제학 철학초고"는 줄여서 "경철수고"라고 부르기도 한다. 이 텍스트는 비교적 마르크스가 젊은 시절에, 아직 헤겔의 영향권에서 벗어나지 못한 시절에 씌여진 국민경제학에 대한 노트 형식의 글로서, 후일 자본론의 관점과 약간의 차이가 있다. 즉 전기와 후기 사상을 비교하는 데 대단히 중요한 텍스트이다.

된 노동과 사적소유"라는 절이 매우 의미심장하다. 여기서 마르크스가 주장하는 바를 한마디로 요약하면 사적 소유라는 체제 때문에 임금이라는 제도가 생겨났고, 이 때문에 노동자들의 노동이 소외되고 있다는 것이다. 여기서 중요한 것은 노동의 소외라는 개념이다. 이 부분을 설명하기 위해서 먼저 마르크스는 국민경제학의 기본전제가 잘못되었음을 지적한다. 즉 국민경제학은 사적 소유가 현실 속에서 경과하는 물질적 과정을 일반적이고 추상적인 공식들로 표현하고 있는데, 이것이 마치 하나의 법칙처럼 간주된다.[47] 그러나 실상은 사적 소유가 가능한 까닭에 생겨나는 사회적인 문제가 많은데, 그러한 문제점들을 국민경제학은 제대로 파악하지 못한다. 그래서 분석적으로 사적 소유의 법칙들을 파악해야 할 필요가 있다. 예를 들어 경쟁, 영업의 자유, 토지 소유의 분할과 독점 등이 하나의 원인으로부터 시작되는 연관된 현상임에도 불과하고 국민경제학은 이러한 현상을 독립된 것으로 바라보는 오류를 범했다.

그러한 오류는 노동이 소외되고 있다는 현실을 제대로 포착하지 못하는 결과를 초래한다. 임금을 통해서 노동을 구매하는 행위는 국민경제학이 자유로운 교환관계라는 토대에서 시작되며 사적 소유의 중요한 단서이고, 로크의 주된 입장이다. 그런데 마르크스

47 마르크스, "1844년 경제학 철학 초고," 『칼 마르크스 프리드리히 엥겔스 저작선집』 1권, 71쪽.

는 이 텍스트를 통해서 임금을 통한 노동의 구매는 자유롭지 않으며, 사적 소유의 토대가 될 수가 없다는 점을 주장하고 있다. 즉 로크의 생각을 정면으로 반박하는 것이다. 그 반박의 핵심이 바로 노동의 소외이다. 그럼 노동의 소외가 무엇인가? 마르크스의 생각을 인용해 보자.

> "노동이 생산하는 대상, 즉 노동의 생산물이 하나의 낯선 존재로서, 생산자로부터 하나의 독립적인 힘으로서 노동과 대립한다는 것, 노동의 생산물은 하나의 대상 속에 고정된, 사물화된 노동인바, 이는 노동의 대상화이다. 노동의 현실화는 노동의 대상화이다. 노동의 이러한 현실화는 국민 경제학적 상태에서는 노동자의 탈현실화로서, 대상화는 대상의 상실과 대상에 대한 예속으로서, 전유는 소외로서, 외화로서 나타난다."[48]

이 인용문은 노동의 소외에 대한 대단히 유명한 문장이다. 그러나 내용은 그리 깔끔하지 않아 보인다. 아직은 젊은 시절의 철학적 사색이 세련되게 정리되지 않은 느낌이다. 그럼에도 불구하고 마르크스의 통찰력은 매우 예리하며, 그것은 후기 저작인 『자본론』에

48 마르크스, "1844년 경제학 철학 초고," 『칼 마르크스 프리드리히 엥겔스 저작선집』 1권, 73쪽.

까지 연결된다. 그것은 '노동의 생산물이 낯선 존재'로서 노동과 대립한다는 개념이다. 이 말은 한마디로 내가 노동하여 만든 물건이 내 것이 아니라 다른 사람의 것이 되며, 이것은 나의 노동의 가치를 상실하는 결과로 이어진다는 뜻이다. 이것이 『자본론』 1권에서는 노동의 착취라는 개념으로 연결된다. 그렇다면 낯선 존재로서 나타나는 현상은 나에게 어떤 결과로 다가오는가? 그것은 일을 열심히 할수록 노동자는 더욱 가난해진다는 것이다. 따라서 노동과 임금의 교환은 자유롭지 않으며, 평등하지도 않다. 그래서 마르크스는 참지 못하고 기만적인 국민경제학의 민낯을 사정없이 까발리게 된다.

"국민경제학은 노동자(노동)와 생산 사이의 직접적인 관계를 고찰하지 않음으로써 노동의 본질 내부의 소외를 은폐한다. 틀림없다. 노동은 부자들을 위해서는 기적을 생산하지만, 노동자를 위해서는 궁핍을 생산한다."[49]

보다 구체적으로 마르크스는 노동의 소외가 4가지 단계를 거친다고 상세하게 설명한다.

49 마르크스, "1844년 경제학 철학 초고," 『칼 마르크스 프리드리히 엥겔스 저작선집』 1권, 75쪽.

첫째는 노동생산물과 노동자의 관계이다. 여기서는 자신의 노동이 생산물과 적대적인 관계로 규정되는 자연대상들의 관계이다.

둘째는 생산행위에 대한 노동자의 관계이다. 여기서는 노동자의 고통, 무력한 힘, 거세로서의 생식, 육체적-정신적 에너지의 고갈 등이 일어난다.

셋째는 유적존재로서 인간성의 상실이다. 여기서는 보편적인 인간이 생산활동을 통해서 자신의 유적존재를 실현하는 것인데, 임금노동이라는 형태에서 노동은 자기실현의 과정을 상쇄해 버린다. 모든 것은 돈을 벌기 위한 수단으로 전락하고 만다.

넷째는 인간과 인간관계의 상실이다. 인간이 아니라 노동자로서 살아가게 된 인간은 모든 인간관계의 척도가 임금으로 규정되기 때문에 다른 사람들을 모두 노동자의 관점에서만 바라보게 된다. 임금에 있어서 노동은 목적이 아니라 수단에 불과한 것처럼, 모든 인간관계는 바로 임금의 종복으로 나타난다.

결론적으로 이러한 소외된 노동은 바로 사적 소유의 필연적 귀결이다. 그리고 노동으로부터 해방되기 위해서, 유적존재로서 인간성을 회복하기 위해서, 인간관계의 사회성을 회복하기 위해서는, 노동자가 해방되어야 한다. 그런데 노동자의 해방은 궁극적으로 임금의 철폐와 사적 소유의 폐지에 의해서만 가능하다.

다음으로 마르크스『자본론』1권 하권의 7편 "자본의 축적과정"을 살펴보자. 필자는 이 부분을 로크의 생산성 향상이라는 주장과 대비하여 고찰하려고 한다. 마르크스의 주장을 한마디로 요약하면, 생산성을 향상하기 위해서 자본축적이 이루어지고 생산 규모가 확대될수록 노동자들은 가난해진다는 것이다. 이것은 분명 자본축적이 생산성 향상을 가져오며, 이를 통해서 더 많은 사람들이 풍요로워질 것이라고 예상했던 로크의 입장과 상반된다. 7편의 전체적인 내용의 핵심은 확대 재생산단계에서 자본의 축적이 이루어지면서 자본과 노동의 구성 비율이 어떻게 달라지는가, 그리고 이를 통해서 노동자들이 더욱 가난해지며, 심지어 실업자가 되어 사회 전체적으로 산업예비군이 증대한다는 논리이다. 그리고 이를 뒷받침하기 위해서 영국의 사례를 들고 있다. 이러한 논의가 핵심적으로 집약된 부분이 바로 25장이며, 제목은 '자본주의적 축적의 일반법칙'이다.

여기서 마르크스는 '자본의 유기적 구성'이라는 개념을 제시한다. 이것은 매우 중요한 개념인데, 이를 이해하기 위해서 하나의 예를 들어 보자. 25장에서 마르크스가 들고 있는 예들은 지나치게 이론적이거나 유럽의 역사적 사실에 근거하여 이해하기 쉽지 않다. 따라서 일상에서 자주 볼 수 있는 예를 통해서 이 개념을 이해해 보도록 하자.[50] 우리 동네에 학생들이 자주 가는 식당이 있다고 하자. 여기서 우리는 라면이랑 김밥을 사서 먹는다. 맛도 좋고 값

50 마르크스, 『자본론』 1권, 774쪽-894쪽.

도 저렴해서 학생들이 많이 몰렸고, 그래서 사장님은 돈을 꽤 벌었다. 장사를 처음 시작했을 때에는 종업원 2명과 테이블 5개로 출발했는데, 1년 만에 테이블을 20개로 늘렸다. 가게의 평수도 5평에서 20평으로 늘렸고, 위치도 자동차 주차가 가능한 넓은 건물로 이전했다. 자! 여기서 한 가지 의문이 생긴다. 테이블, 건물 임대료 등(이것을 고정비용이라고 한다)이 4배로 증가했는데, 과연 종업원(이것을 가변비용이라고 한다)은 몇 명이 늘었을까? 위의 논리대로 계산한다면, 모든 것이 4배로 증가했으니, 종업원도 4배로 증가해야 했을 것이다. 그런데 현실은 그렇지 않다. 2명에서 5명 정도일 뿐이다.

이것이 바로 자본의 유기적 구성이 고도화될수록 고정비용은 늘어나지만, 가변비용은 늘어나지 않는다는 명제이다. 사실 여기서 마르크스는 자본의 가치구성, 자본의 기술적 구성과 같은 개념을 더 많이 제시하고 있고, 이론적 설명도 매우 복잡하고 풍부하다. 그러나 그 논의를 모두 이해하기 쉽지 않다. 그래서 이런 식으로 간략하게 설명을 요약한 것이다. 여기에 좀 더 설명을 더 붙여보면, 고정비용의 증대와 더불어 중요한 경제적 사실을 하나 더 지적하고자 한다. 예를 들어 손으로 밀가루를 반죽하고, 김밥을 만들던 것에서 기계를 도입하여 밀가루를 반죽하고, 김밥도 기계가 말게 되면, 칼국수의 그릇 수와 김밥의 개수가 획기적으로 증가하게 된다. 이것을 노동 생산성의 증가라고 하는데, 이것이 노동자의 고용을 오히려 감소시킨다는 것이다. 이것은 모든 자본주의 국가에서 일반법칙처럼 발견되는 보편적인 현상이다. 그리고 이것은 수공업 생산에서 자본주의적 생산으로 변모하는 과정에서 일어나는 현상이다. 따라서 자본축적이라는 계기가 매우 중요하다. 이것을 마르크스는 시초축적이라고 불렀다.[51]

필자가 보기에 로크가 충분의 한계를 극복하기 위한 방법으로 더 많은 생산이라는 모토를 내걸었을 때, 그의 머릿속에는 암묵적으로 이러한 자본축적의 논리가 있었을 거라고 추정해 본다. 물론 로크는 상업주의 시대를 살았던 사람이니까, 자본주의 시대의 이른바 시초축적이라는 개념까지 구체적으로 상상한 것은 아닐 것이다. 다만 소유권의 확대가 자본축적을 통해 가능하다고 주장한 것은 분명하니, 여기에 마르크스의 설명을 대입해 볼 수 있을 것이다. 그런데 마르크스는 자본축적의 결과가 노동자들을 더욱 빈곤하게 만들고 있다고 말하고 있으니, 로크와 마르크스는 동일한 현상을 두고 전혀 다른 결과를 말하고 있는 셈이다.

> "축적과정 그 자체가 자본의 크기뿐만 아니라 노동빈민의 수도 증가시킨다는 점이다. 노동빈민이란 임금노동자인데, 그는 자기 노동력을 증대하는 자본의 가치증식을 증가시키는 힘으로 전환시키며, 또 바로 그렇게 함으로써 자기 자신의 생산물에 대한 자기 자신의

51 마르크스, 『자본론』 1권, 788쪽.

종속관계를 영구화하지 않을 수 없다."[52]

"따라서 노동인구는 그들 자신이 생산하는 자본축적에 의하여 그들 자신을 상대적으로 불필요하게 만드는 수단을 점점 더 큰 규모로 생산한다. (...) 그런데 과잉 노동인구가 축적의 필연적 산물 또는 자본주의적 토대 위에서 부의 발전의 필연적 산물이라면, 이번에는 과잉인구가 자본주의적 축적의 지렛대로, 심지어는 자본주의적 생산양식의 생존조건으로 된다. (...) 산업예비군은 변동하는 자본의 가치 증식욕을 위하여 언제나 착취할 수 있게 준비되어 있는 인간재료를 이룬다."[53]

마르크스는 25장 5절에서 1846년부터 1866년까지의 영국 경제를 분석하면서 위의 이론적 입장을 예증한다. 한마디로 말해서 영국은 이 시기에 본격적인 자본주의 시대로 진입했고, 전체적인 국부는 증가했지만, 노동자들의 삶은 더욱 궁핍해졌고, 실업자도 증가했다는 것이다. 사실 이러한 예시는 지난 50년 동안 한국경제를 통해서도 쉽게 증명될 수 있다. 예를 들어 70년대 삼성전자의 규모를 생각해 보자. 그 당시의 회사 규모는 기계설비와 종업원 수

52 마르크스, 『자본론』 1권, 778쪽.

53 마르크스, 『자본론』 1권, 796-797쪽.

를 비율적으로 계산했을 때 50대 50이라고 볼 수 있을 것이다. 즉 100억을 시설투자 하고, 종업원은 100명이었다고 해보자. 삼성전자는 경제호황을 만들어 낸 주요 기업이 되었고, 주식 가치는 엄청나게 증가했다. 분명 한국경제 전체가 삼성의 전자산업에 힘입어 부유하게 되었다고 말할 수도 있을 것이다. 아마도 삼성전자의 자산가치는 수천 배 증가했을 것이다. 그런데 과연 종업원은 몇 배나 증가했을까? 100명에서 고작 몇만 명 정도의 증가가 현실이다. 자본축적에 따른 자본의 유기적 구성이 고도화되었을 때, 자본의 축적량은 기하급수적으로 증가하지만, 노동량의 증가는 미미하다는 것이다. 이 말은 결국 자본축적이 이루어져도, 기계설비가 증가하고, 회사의 자산가치는 증가하겠지만, 일반 국민들의 부는 증가하지 않는 사실을 의미하다. 좀 더 심각하게 단언하면, 경제가 발전해도 일자리는 늘어나지 않는다. 1860년대 영국의 경제가 그러했고, 2020년대 한국경제가 그러한 현상을 겪고 있다.

마지막으로 마르크스는 33장에서 '근대적 식민이론'이라는 제목으로 미국식민지가 영국에 의해서 자본주의 임금노동 관계로 편입되는 과정을 짤막하게 설명하고 있다. 필자가 이 부분을 흥미롭게 읽었던 이유는 『통치론』 5장에 나오는 아메리카 인디언들을 몰아내고 울타리를 쳐서 식량을 증대시킨 영국사람들의 행위가 인디언들에게도, 영국 사람들에게도, 모두 이익이 된다는 주장을 떠올렸기 때문이다. 그런데 마르크스는 동일한 현상을 전혀 다른 방식으로 설명하고 있다. 즉 미국에서 토지를 수탈한 것은 자본주의적 생산양식의 토대를 마련한 것이며, 토지로부터 이탈된 농민들을 임금노동체계로 편입한 것은 자본주의적 착취시스템을 이식한 것이다. 결국 농촌경제에서 자본주의적 생산체제로의 이행(이것을 시초축적이라고 할 수 있겠다)이 미국 식민지의 본질이며, 이것은 영국이 경험했던 자본주의 모순을 미국에 수출한 것에 불과하다. 즉 자본주의적 소유방식은 영국에서도, 미국에서도 국민들을 수탈할 뿐이다.

"그러나 여기서 우리가 문제로 하는 것은 식민지의 상태가 아니다. 우리의 관심사는 오직 구세계의 경제학이 신세계에서 발견하고 소리 높이 선언한 다음과 같은 비밀이다. 즉 자본주의적 생산방식과 축적방식, 따라서 또 자본주의적 사적 소유는 자기노동에 입각하는 사적 소유의 철폐 즉 노동자의 수탈을 기본조건으로 삼고 있다는 점이다."[54]

그럼 마르크스가 바람직하다고 생각하는 소유권은 무엇인가? 한마디로 생산수단을 공유하고 자신의 필요에 따라 소비하는 경제공동체를 가장 이상적인 소유권의 형태로 생각한다. 이것이 어

54 마르크스, 『자본론』 1권, 973쪽.

떤 의미를 갖는지 구체적으로 알기 위해서는 「고타강령초안 비판」이라는 글을 읽어 보아야 한다. 이 글은 독일 사민당의 강령에 대한 비판이다. 즉 라살레가 중심이 되어 노동자 중심의 사회민주주의 정당이 만들어지는데, 이것은 마르크스가 주창했던 공산당과는 대립각을 세운다. 공산당이 부르주아 경제를 혁명으로 무너뜨리고 노동자 중심의 사회주의 사회를 만들어야 한다는 목표를 가지고 있었다면, 1870년대 만들어진 사회민주주의 노동자 정당은 부르주아 경제를 인정하고, 의회 정치 안에서 노동자의 복지를 증진시킬 수 있는 입법을 확대시키는 방법을 모색한다. 따라서 사민주의 노동자정당에 대해 마르크스는 근본적으로 타협주의라고 비판한다. 특히 1875년에 사회민주주의 노동당이 고타에서 당의 강령을 발표함에 따라, 이에 대한 비판을 하면서 마르크스와 노동당의 입장이 선명하게 구분된다. 이것이 바로 「고타강령초안 비판」이다.

여기서 마르크스는 강령의 주요 문장을 부분별로 나누어 검토하고 비판하고 있는데, 그중에서 3번째 강령에 대한 비판이 소유권에 관하여 우리의 눈길을 끈다. 일단 강령의 내용을 인용해 보자

> "노동의 해방은 노동 수단의 사회의 공동재산으로의 고양, 그리고 노동 수익의 공정한 분배를 수반한 총노동의 조합적 규제를 필요로

한다."[55]

위와 같은 노동당의 강령을 두고, 마르크스는 두 가지를 직접적으로 공격한다. 첫째는 노동수단의 공동재산으로의 고양이라는 단어와 둘째는 노동수익이라는 단어이다. 두 가지 단어를 비판함으로써 마르크스는 공정한 분배를 지향하는 노동당의 목표가 잘못되었음을 지적한다. 아주 간략하게 핵심만 정리하자면, 마르크스의 논지는 다음과 같다. 우선 노동수익이라는 개념이 매우 모호하기 때문에 이것을 기준으로 공정한 분배를 논하는 것 자체가 모순이라는 것이다. 왜냐하면 노동수익은 사회적 총생산물을 의미하는데, 여기에 반드시 생산수단의 보전비용, 생산확대를 위한 추가 부분, 자연재해를 대비한 예비기금 등을 공제하고 계산해야 한다. 그런데 이것이 과연 가능한가? 마르크스가 보기에는 전혀 가능하지 않다.

또 조합적 규제란 개인 노동자들은 자신들의 노동을 기반으로 사회적 증서를 받고 이것을 통해서 사회적 저장품에서 소비수단을 제공받는 시스템인데, 여기서는 노동량을 기준으로 소비상품을 제공받는 점에서 여전히 노동이 기준이 되고 있다. 그렇다면 이것은

55 마르크스, 김세균 외 역, "고타강령 초안 비판,"『칼 마르크스 프리드리히 엥겔스 저작 선집』4권, 2018, 박종철출판사, 373쪽.

여전히 부르주아 경제를 기반으로 노동자 조합주의로 운영될 것임을 함축한다. 즉 노동자를 위한 조합적 규제가 사실은 부르주아 경제학의 메커니즘을 그대로 답습하고 있는 것이다. 따라서 노동자들 간의 평등한 권리란 역시 부르주아 소유권의 불평등을 전제로 한 것에 불과하다.[56]

> "그러므로 여기서 평등한 권리는 여전히-원리상- 부르주아적 권리이며, 상품교환에서는 등가물의 교환이 평균적으로만 존재하고 개별적인 경우에는 존재하지 않는 반면에 원리와 실제가 이제는 서로 머리채를 쥐고 싸우지 않더라도 여전히 그러하다."[57]

요약하자면 노동자들이 자신의 노동량만큼 소비재를 얻는다는

56 마르크스는 프루동의 동일임금론에 대해서 비슷하게 비판한 바 있다. 즉 프루동은 『빈곤의 철학』에서 모든 임금을 모든 직종에서 동일하게 만들면, 부르주아적 착취가 사라질 것이라고 주장한 바 있다. 이에 대해 마르크스는 『철학의 빈곤』에서 임금체계가 존재하는 한, 노동은 하나의 상품으로 전락하게 되며 노동에 대한 착취구조는 사라지지 않는다고 주장한 것이다. 프루동과 마르크스의 입장 차이에 대해서는 홍알정 3권에서 자세히 다룰 예정이다.

57 마르크스, "고타강령 초안 비판," 『칼 마르크스 프리드리히 엥겔스 저작 선집』 4권, 376쪽.

논리는 외견상 평등한 소유의 실현으로 보이지만, 실제로는 내용상 불평등이다. 왜냐하면 노동자들의 노동은 그들의 계급상의 차이, 개인의 불평등한 소질, 생활환경의 차이들을 고려해야 하는데, 이러한 조건을 무시한 채 제공된 노동량을 기준으로 소비재의 구입을 결정하는 것은 분명 잘못이기 때문이다. 그러나 이처럼 충분하지 못한 기준이라 할지라도 노동량을 기준으로 조합적 규제를 실현하여 소비재를 분배하는 방식은 공산주의 사회로 진입하는 첫 단계로서 불가피한 것이다. 이것이 마르크스가 고타강령을 인정하는 작은 부분이다. 즉 노동량을 기준으로 하는 사회분배 방식은 시작이고, 더 높은 단계의 공산주의 사회에서는 분업에 대한 종속을 넘어서, 육체노동과 정신노동의 대립이 사라지고, 노동자 개인들의 삶의 조건들이 총체적으로 인정된 후에, 부르주아적 한계를 완전히 벗어날 수 있는 새로운 생산과 분배방식이 성립된다. 그것이 바로 "각자는 능력에 따라, 각자에게는 필요에 따라"라는 구호이다.[58]

마르크스의 입장을 요약하자면, 생산방식에 대한 전면적인 수정 없이, 분배만을 개선하는 것은 반쪽짜리 개혁이다. 특히 자본주의 사회에서는 자본과 토지를 소유한 사람들이 노동력에 따라 생

58 마르크스, "고타강령 초안 비판,"『칼 마르크스 프리드리히 엥겔스 저작선집』4권, 377쪽.

산에 참여하지 않기 때문에, 분배를 노동량의 기준으로 하는 것은 분명 잘못된 것이다. 따라서 노동자들의 능력과 조건의 차이를 인정해야만 한다. 그런데 이러한 조건이 성립되면 노동량의 차이가 있더라도 소비재의 분배는 필요에 따라 이루어져야 한다. 즉 생산수단을 공동으로 하여 공동생산하고, 소비재는 필요에 따라 분배되어야 한다.

> "예를 들어 자본주의적 생산 방식은, 물적 생산조건들은 자본소유와 토지 소유의 형태로 노동하지 않는 사람들에게 배분되는 반면에 대중은 인적 생산조건인 노동력의 소유자일뿐이라는 사실에 근거하고 있다. 생산의 요소들이 이렇게 분배되면, 오늘날과 같은 소비수단의 분배가 저절로 생겨난다. (...) 속류 사회주의자는 부르주아 경제학자를 본받아 분배를 생산방식과는 독립된 것으로 간주하고 또 그렇게 다루고 있으며, 따라서 사회주의는 주로 분배를 중심문제로 하고 있다는 것을 서술하고 있다. 진정한 관계가 이미 오래전에 해명되었는데, 무엇 때문에 다시 뒤로 돌아간다는 말인가?"[59]

59 마르크스, "고타강령 초안 비판," 『칼 마르크스 프리드리히 엥겔스 저작 선집』 4권, 378쪽.

5장 | 한국사회와 로크

재미있는 일화가 있다. 영국의 이주민이 미국대륙에 갔을 때, 좀 더 구체적으로 1630년대, 영국사람들은 24달러에 인디언들로부터 뉴욕의 땅을 매입한 일이 있다. 이때 인디언들은 땅을 매입한다는 뜻을 알지 못하고, 헐값에 그 땅을 팔아버린 것이다. 인디언들이 이해하지 못하고 있었던 것은 땅의 소유에 대한 근대적 개념이었다. 인디언들의 전통적인 관습으로 땅이란 모든 사람들이 공동으로 소유하고, 함께 이용하는 대상이었기에 토지를 매입한다는 행위 자체가 성립되지 않는다. 그러나 곧 그들은 엄청난 혼란과 불편을 겪게 된다. 가장 충격적인 사실은 더 이상 뉴욕의 땅을 통행할 수 없게 된 것이다.

위의 사례는 중세와 근대의 소유권에 대한 극명한 차이를 보여준다. 중세시대에 재산이란 인간의 생명과 신체를 포함하는 것이다. 이러한 재산권의 개념에 근거하면, 땅에 대한 소유권은 인간의 생명과 신체가 손해를 입는 방식으로 행사될 수 없다. 즉 토지에 대한 소유권을 주장하는 경우에도 개인의 권리(인격적 권리와 수익적 권리)를 완전히 배제하여, 인간의 보편적인 삶이 침해당하지 않도록 해야 한다. 로크의 『통치론』 5장의 텍스트에서 "타인에게 피해를 주지 말아야 한다"라는 문장은 바로 이러한 의미를 함축하고 있다. 이러한 맥락에서 보면 로크의 사상 속에는 여전히 교부철학의 소유권 개념이 살아남아 있다.

그러다가 근대사회로 진입해 시장사회가 성립되면서, 재산권은 물건에 대한 권리를 의미하는 것으로 축소된다. 그리고 수익형태로 재산의 개념을 사용하게 되었다. 자본주의 사회가 심화됨에 따라, 모든 자원과 노동에 대한 개인의 권리는 매매할 수 있는 것으로 인정되었을 때, 소유권은 양도 가능함을 의미하게 되었다. 이때부터 토지의 매입이 가능해지고 이때부터 개인들의 인격적 삶을 보장하는 소유권의 개념은 사라진다. 이러한 소유권의 개념이 현재 자본주의 사회를 지배하는 일반적인 관념이며, 한국도 예외가 아니다. 예를 들어 현재 한국의 〈민법〉에서는 소유권이란 절대적인 물권으로 규정하고 있으며, 이것은 물건을 사용, 수익, 처분할 수 있는 권리를 의미한다.

그런데 소유권은 시대의 변화와 사회적 합의에 의해 달라진다. 다시 말해 소유권이란 누가, 어떤 대상을, 어떤 조건에 따라 소유하느냐에 따라 소유의 법적 제도가 달라진다는 것이다. 그런 의미에서 소유권은 철학적이거나 법적인 것이라기보다는 정치적 타협의 산물이다. 예를 들어 소유하는 주체가 개인뿐만 아니라 국가가 될 수도 있고, 현대 금융사회에는 주식을 많이 보유한 법인이 소유 주체가 될 수 있다. 또한 소유대상을 단순히 물건에 한정하지 않고, 공기, 물, 토지 따위와 같이 물권의 범위를 넘어선 것을 상정할 수도 있다. 한국의 법체계에서는 전자를 민법의 소유권이라고 정하고, 후자는 헌법의 재산권이라고 규정하고 있다. 그리고 재산권의 공적인 사용이 민법의 소유권보다 상위의 법이라고 명시한다. 특히 재산권의 공적 사용이라는 헌법 조항(23조 2항)은 타인에 대한 배려를 강조하고 있는데, 이것은 타인에 대하여 '해악을 방지할 의무'라고 해석할 수도 있다. 이른바 공공복리에 적합한 재산권 행사를 규정한 것으로 민법상의 소유권 의무조항이다. 이러한 일련의 흐름을 두고 볼 때 로크식의 소유권 이론도 사용대상과 사용조건에 일정한 제한을 두고 있는 것으로 해석하는 것이 적절할 것이다.

사실 사과 한 개를 가지고 있다는 것과 땅을 한 평 가지고 있다는 사실은 재산권의 사용조건에 따라 전혀 다른 의미를 가진다. 사과 한 개를 가진 사람이 그 사과를 그냥 먹던, 삶아 먹던, 조려 먹던 다른 사람과 아무 상관이 없다. 이런 맥락에서 사과는 소유권의 대상이다. 그러나 땅을 가진 사람이 그 땅을 자기 마음대로 사용한다는 것은 다른 사람에게 엄청난 영향을 준다. 예를 들어 내 땅이라고 울타리를 쳐서 통행을 제한하는 경우 마을 사람들은 먼 길을 돌아서 다녀야 하는 불편을 감수해야 한다. 또 그 땅에 우물이 하나 있어 우물에 대한 소유권마저 주장하게 되면, 마을 사람들은 생존의 위협을 받을 수도 있다. 따라서 땅의 소유는 개인적인 권리이기에 앞서 공적인 재산권이다.

이러한 문제를 가장 먼저 지적한 사람이 미국의 혁명이론가 토마스 페인이다. 그는 "토지분배의 정의"[60]라는 소책자에서 토지에

60 토마스 페인, 남경태 역, "토지 분배의 정의,"『상식』, 효형출판사, 2019.

대한 소유권은 경작을 통한 수익을 의미하며, 토지 소유자는 공동체에 지대를 지불해야 한다고 주장한다. 왜냐하면 토지 자체에 대한 재산권은 애초에 인정될 수 없기 때문이다.

"이렇듯 토지 재산은 원래 없었던 것이었다. 인간은 땅을 만들지 않았으며, 설령 땅을 점유할 자연적 권리가 있다 해도 땅의 일부를 영구히 자기 재산으로 삼을 권리는 없었다. 또한 땅을 창조한 조물주는 토지 문서를 발행하는 관청을 설치하지 않았다. 그렇다면 토지 재산의 관념은 어떻게 생겨난 것일까? 나는 예전에도 말했듯이 경작과 더불어 토지 재산의 관념이 형성되었다고 대답한다."[61]

여기서 페인의 주장을 음미해 보자. 토지에 대한 소유는 경작을 통한 이익에만 한정되므로 경작을 한 사람의 노동을 충분히 인정해야만 한다. 그렇다면 토지 소유자는 얼마만큼의 소유권을 주장할 수 있을까? 여기서부터 사회적 합의가 필요하다. 그런데 만일 토지 소유자의 이익을 너무 많이 보장하게 되면, 경작자의 수익은 상대적으로 줄어들 것이다. 더구나 토지 소유자가 너무 많은 땅을 독점하게 된다면 사회적으로 큰 폐단을 낳게 된다. 이것이 프랑스

61 토마스 페인, "토지 분배의 정의," 『상식』, 105쪽.

대혁명이 발발했던 이유였다. 그래서 페인은 토지를 빼앗기고, 경작한 사람의 권리를 제대로 인정받지 못한 사람들을 위해서 국가기금을 조성해야 한다고 주장한다. 스물한 살 이상의 모든 사람들에게 15파운드씩 금액을 나누어 주고, 쉰 살의 모든 사람들에게는 해마다 10파운드씩 주자고 제안한 바 있다.[62] 그리고 기금을 조성하는 방법에 대해서도 자세히 설명하고 있다.

나는 페인의 이러한 주장이 한국사회에 주는 함의가 매우 크다고 생각한다. 우선 그의 정치 철학적 입장이 절대적 시장주의(로크)와 절대적 공유제도(마르크스)의 중간 지점에서 자본주의 사회의 폐해를 줄일 수 있는 현실적인 대안으로 보인다. 토지나 주택과 같은 대상은 개인적인 소유권에 한정되기보다는 국가적인 공적 자산으로 간주되어야 마땅하다. 그런데 한국사회에서는 토지와 주택이 개인의 투기대상이 되어버렸고, 이를 통해서 빈부의 격차가 극심해지고, 기본적인 삶의 수준이 피폐해지는 상황에 이르고 말았다. 적어도 토지와 주택에 관해서는 공유제나 공공재의 성격을 강조하고, 투기로 이익을 취하는 행위를 제한하는 현실적인 대책이 마련되어야 한다. 사실 토지 공유제는 이미 노태우 정부에서 제기된 바 있으나, 그에 대한 후속 대책이 뒤따르지 못하여 효율성을 잃고 말

62 토마스 페인, "토지 분배의 정의," 『상식』, 107쪽.

았다. 공적 재산권과 개인적 소유권의 대상을 구분하는 것이 자유주의 사회에서 건전한 시장제도를 정립시켜 가는 중요한 기준이다. 왜냐하면 토지와 사과는 전혀 다른 재화이기 때문이다. 또 토지와 같은 대상에 대하여 공공성을 강조하는 것이 자유로운 기업활동을 방해하거나, 이익을 극대화하는 기업의 논리를 저해하는 것이 아니다.[63]

63 복거일은 "재산권이 안전해야 투자가 는다"라는 글에서 경제적 자유와 재산권을 동일한 것으로 간주하고 있다(복거일, 『자유주의의 시련』, 자유기업원, 2009, 59-61쪽). 그러나 이것은 잘못된 판단이다. 기업의 투자의욕을 고취하기 위해서 규제를 푸는 것과 기업이 부동산 투기를 하는 것을 제한하는 것은 전혀 다른 문제이다. 재산권과 소유권은 엄연히 다른 개념이기 때문이다.

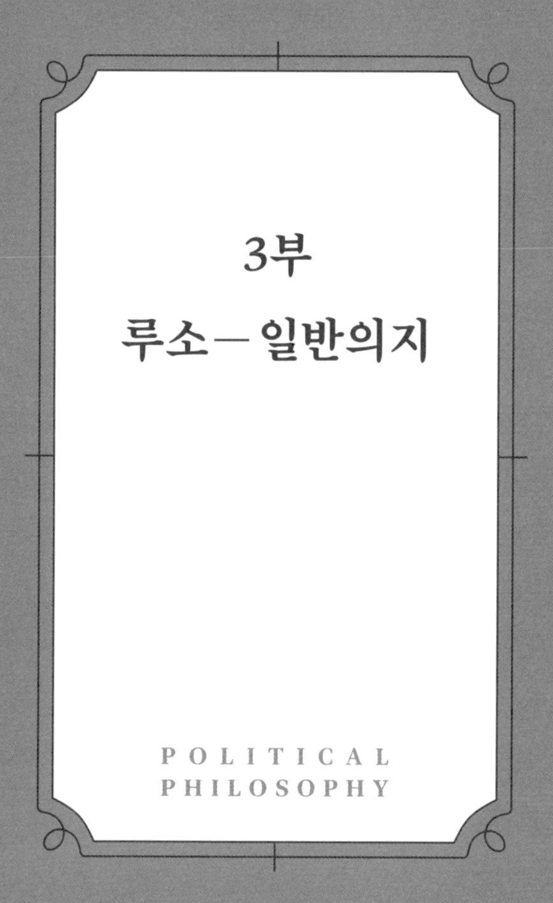

3부
루소 — 일반의지

POLITICAL
PHILOSOPHY

1장 | 자연상태에서 문명상태로

루소의 생각은 어찌 보면 매우 단순하다. 이분법적 사고의 전형이라고나 할까? 대표적인 예가 인간론에 대한 그의 생각이다. 루소는 자연상태에서 인간의 심성은 순수했는데, 문명상태에서는 타락했다고 말한다. 그래서 우리는 문명상태에서 벗어나 다시 자연상태로 돌아가야 한다고 처방한다. 사실 문명상태라고 인간의 본성이 갑자기 달라질 이유가 뭐가 있겠는가? 인간은 늘 비슷한 존재가 아닐까? 그걸 루소가 모르지 않았을 것이다. 그럼에도 불구하고 왜 이렇게 단순한 이분법을 강조했을까? 필자는 그 이유를 자본주의 문명을 비판하려는 루소의 의도에서 찾고자 한다. 자본주의 소유권과 대의제 정치에 대한 비판의식이 루소 사상의 핵심이다.

그런 의미에서 루소는 홉스와 로크를 정면으로 비판한다. 그리고 자본주의에 대한 루소의 비판적 시각은 헤겔을 거쳐 마르크스에게 지대한 영향을 주게 된다. 이러한 맥락에서 루소는 사회주의의 선구자라고 간주해도 좋을 것이다. 루소는 일반의지라는 개념을 강조하는데, 이것은 칸트가 주장한 이성의 공적 사용이라는 개념으로 확대되고, 현대정치에서는 하버마스가 강조한 공론장이라는 형식으로 제도화된다. 한마디로 자유주의 정치사상에 있어서 루소의 비판의식은 영미식 자유주의를 넘어서 대륙의 정치사상을 만들어 내는 데 기초가 된다. 따라서 루소의 사상을 이해하는 것은 현대 자유주의 정치의 한계를 이해하고 그 대안을 모색하는 데 대단히 중요한 단초가 될 것이다.

우선 루소의 자연상태에 대해서 알아보자. 이 부분을 이해하려면 루소의 초기 저작『인간불평등 기원론』을 읽어 보는 것이 좋다. 이 책은 디종 아카데미에서 제안한 제목에 루소가 논문으로 공모했던 글이다. 이때 그는 1등 상을 받았다. 사실 루소는 정식 교육을 받은 일이 없었고, 당시 학계에서는 거의 무명의 학자였다. 그런데 이 논문을 계기로 프랑스 지식인 사회에서 일약 스타가 된다. 이 논문은 2부로 구성되어 있다. 1부는 자연상태에서의 인간본성에 대한 설명이고, 2부는 소유권으로 인해 발생하는 자본주의의 문제점을 지적하고 있다. 특히 1부에서 루소는 홉스의 자연상태에 대한 비판으로 시작한다.

> "자기가 정한 원리들에 대해 추리하면서 이 저자는, 자연상태는 우리의 자기 보존 노력이 남의 자기 보존에 가장 덜 해로운 상태인 만큼, 이 상태가 따라서 평화에 가장 알맞고 인류에 가장 어울리는 것이었다고 말해야만 했던 것이다. 사회의 소산이고 법을 필요하게 만든 숱한 정념들을 채우려는 욕구를, 미개인의 자기 보존 노력 속에 까닭 없이 넣었기 때문에, 그는 정반대되는 말을 하고 있다."[64]

64　루소, 박은수 역,『인간불평등 기원론』, 인폴리오, 1998, 61쪽.

위의 문장에서 루소는 자연상태가 평화에 가장 알맞고 인류에게 어울리는 상태라고 말하고 있다. 어떤 점에서 그런가? 2부 첫 장에서 자연상태에 대한 서술이 길게 설명되고 있다. 우선 인간들은 순수한 감각들만으로 만족해한다. 자연에 대한 고마움을 아는 상태이다. 집 앞에 사과나무가 열매를 맺어 먹을 것을 주는 것이 너무도 고맙다. 나무에서 사과는 하루 한 개만 채취한다. 왜냐하면 다른 사람들도 먹어야 하니까. 이처럼 자연상태는 자신의 생존본능 뿐만 아니라 타인에 대한 배려심이 잘 드러나는 상태이다. 그래서 루소는 자연상태에서 인간의 본성을 'amour de soi'와 'Pitie'로 표현한다. 전자를 영어로 번역하면 love of self(자기애)이며, 후자는 pity(연민)이다. 자기애는 일종의 생존본능이다. 사과를 따 먹고 추위에 견디기 위해서 나뭇잎을 두르는 행위가 바로 자기애이다. 그런데 이러한 생존본능은 타인과 공존할 수 있는 범위를 넘어서지 않는다. 즉 자신을 돌보는 마음이 지나쳐 타인을 공격하지 않는다. 오히려 타인을 불쌍하게 여기고 배려하는 마음이 함께 존재한다. 그래서 홉스가 틀린 것이다.

"동정심이란 각 개인의 이기심(amour de soi)의 활동을 눌러 온 인류의 상호보존에 협력하는 타고난 감정임이 확실하다. 괴로워하는 자들을 보고 아무 생각도 없이 구하러 가는 것은 이 동정심 때문이다. 자연상태에서 법률과 풍습과 미덕을 대신하는 것이 바로 이 동정심이다."[65]

그런데 문명상태가 되면서 인간의 심성이 변질되기 시작한다. 자기애는 경계를 모르고 확장되며, 연민은 사라지고 타락한 감정이 등장한다. 이것을 루소는 'Amour propre'라고 명명한다. 이 단어는 우리말로 옮기기 쉽지 않다. 번역자에 따라 자만심, 우월감 등으로 옮기는 경우가 있으니, 필자는 차라리 번역하지 않고 "아무르 프로프르"라고 부르고자 한다. Amour propre가 무엇인가? 한마디로 이것은 타인에 대한 배려가 사라진 상태이다. 덧붙여 타인을 지배하고, 타인으로부터 인정받으려는 헛된 욕망이다.

예를 들어, 사과나무에서 열매를 한 개만 얻었던 마음은 어느새 돈을 벌 수 있다는 욕심으로 바뀐다. 그래서 열심히 일하고 사과나

65 루소, 『인간불평등 기원론』, 1998, 65쪽. 인용문에서 "괴로워하는 자들을 보고 우리가 아무 생각도 없이 구하러 가는 것은"이라는 표현이 등장하는데, 이것은 『맹자』「공손추 상」 3-6에 "네 가지 선의 단서"라는 장에 나타난 상황과 매우 유사하다. 즉 이 텍스트에서 맹자는 우물에 빠진 어린아이를 구하는 장면을 묘사하면서, 남의 고통을 외면하지 못하는 인간의 본성을 측은지심이라고 말하고 있다. 루소가 살았던 당시에 프랑스에서는 공자나 맹자의 텍스트를 읽는 것이 유행했다고 한다. 어쩌면 이 구절은 루소가 맹자를 통해서 배운 구절이 아닐까? 맹자의 사상은 칸트와 비교할 것이다.

무의 열매를 모두 채취하여 자기 것으로 만든다. 여기에 더하여 임금을 주고 다른 사람을 고용하여 다른 나무의 열매도 모두 채취할 수도 있다. 로크가 임금을 주고 노동력을 구매하는 행위를 정당화했다면, 루소는 이것이 타락한 마음의 시작이라고 생각한 것이다. 더구나 자신이 먹기 위해서 사과 열매를 채취한 것이 아니라, 저장하였다고 이윤을 붙여 되팔아 돈을 벌기 위해 한 일이다. 이것이 바로 자본주의의 본질이다. 후일 마르크스가 "이윤을 낳은 자본"이라고 꼬집었던 것이 바로 타락한 Amour propre를 가리키는 것이다. 따라서 Amour propre는 돈을 벌기 위해 무슨 짓이든지 할 수 있기 때문에 노동자들이 굶어 죽어도 자본가들은 상관하지 않는다. 또 추위를 견디기 위해서 나뭇잎을 둘렀던 자연적인 심성은 사라지고, 남에게 보이기 위해 옷을 입기 시작한다. 자신이 입고 있는 옷이, 자신이 들고 다니는 가방이, 자신을 남들보다 우월하게 보이도록 만들 것이라고 착각한다. 이러한 맥락에서 Amour propre는 인간관계에서 가식과도 같다. 사람마다 등급이 매겨지기 시작했는데, 비단 능력이나 재산의 차이뿐만 아니라, 잘생김이나 손재주에 의해서도 결정되기 시작했다. 그래서 자기에게 유리하도록 나를 실제 모습과는 다르게 보이도록 했다. 이러한 과정을 거치면서 남을 배려하는 마음은 사라지고 타인을 착취하고, 지배하려는 마음

이 등장한다. 이러한 사회가 바로 문명사회이다.[66]

그럼 문명사회는 왜 발생하는가? 루소는 그 이유를 야금술과 농업기술의 발명 때문이라고 설명한다. 기술력의 발명이 바로 문명사회의 시작이며, 이것이 인간을 타락하게 만들었다고 본 것이다. 나무의 열매를 따 먹던 수렵생활에서 땅을 개간하게 되어 더 많은 수확을 얻을 수 있게 되는 과정이 자연상태에서 문명상태로 진전하는 계기이다. 땅을 경작한 후에는 땅의 분배가 등장한다. 즉 소유권의 문제가 발생하는 것이다. 여기서부터 경쟁과 시기심이 생겨나고 남의 이익을 희생시켜 나의 이득을 극대화하려는 욕심이 발동하기 시작한다. 이것이 소유권의 결과이며 불평등의 출발점이다.

> "가장 강한 자들이나 가장 가난한 자들이 그 힘이나 가난을 남의 재산에 대한 일종의 권리로, 그들 생각으로는 소유권과 맞먹는 권리로 삼았기 때문에, 평등은 깨지고 이어 가장 끔찍한 무질서가 뒤따랐다. (...) 갓 태어난 사회가 가장 무서운 전쟁상태와 대체되었

66 스피노자는 『에티카』 3부에서 이러한 사회성의 토대가 야심과 명예욕에 있을 때와 자만과 시기심에 있을 때, 각각 문명사회의 모습이 달라질 것이라고 설명한 바 있다. 감정의 변화에 따른 사회성의 변동을 다루는 주제는 루소와 스피노자를 비교할 때 자세히 설명할 것이다.

다."[67]

이러한 불평등은 반드시 경제적인 소유권에만 국한되지 않는다. 그것은 법률적인 단계, 관직의 설정단계, 전제적 권력이 합법화되는 단계로 나누어진다. 따라서 부자와 가난한 자들의 불평등이 1단계이고, 강자와 약자의 상태가 2단계이며, 주인과 노예상태가 바로 3단계이다. 첫 번째가 경제적 불평등이라고 한다면, 두 번째는 정치적 불평등이며, 세 번째는 문화적 불평등의 상태를 가리킨다. 마지막 단계에서는 내가 지배받고 있는 상태를 인지하지 못한 채 살아가게 된다. 이것이 바로 인간불평등 기원론의 결론이다. 루소는 자연상태에서 평화롭던 인간의 본성이 기술문명에 의해서 타락하는 과정은 마치 사회정신과 같은 것이며, 이것을 변화시키는 것은 불가능해 보인다고 결론 짓는다.

그럼 타락한 문명사회에서 벗어나는 길은 무엇인가? 그 대답이 『사회계약론』에 적혀 있다. 한마디로 말하면 일반의지가 실현되는 정치체를 만들어 내는 방법뿐이다. 왜냐하면 우리는 자연상태로 돌아갈 수 없기 때문에 문명사회에서 자연상태와 가장 유사한 공동체를 만들어 내야만 한다. 그것이 바로 공화국(Republique)이다.

67 루소, 『인간불평등 기원론』, 90쪽.

『사회계약론』은 루소가 50대에 집필한 저서이다. 이 책은 프랑스대혁명의 정신적 기초가 되었으며, 프랑스의 자유주의 이념이 무엇인지를 잘 보여주고 있다. 이 책의 시작은 다음과 같이 시작한다.

> "인간은 본래 자유인으로 태어났다. 그런데 그는 어디서나 쇠사슬에 묶여 있다. 어떤 사람은 자기를 다른 사람들의 지배자로 믿기도 하는데, 실은 이 사람은 더 심한 노예가 되어 있다. 어떻게 이런 뒤바뀜이 생겨났는지 나는 모른다."[68]

본래 자유인으로 태어난 것은 바로 자연상태에서 인간을 의미한다. 그리고 지금 모든 사람이 쇠사슬에 묶여 있는 것은 문명사회의 현실을 지적한 것이다. 그런데 다음 문장이 흥미롭다. 자신을 지배자라고 생각하는 사람이, 나는 쇠사슬에 묶여 있지 않다고 생각하는 사람이, 더 노예상태로 살고 있다는 것이다. 루소만의 문장표현이다. 사실 루소의 글은 정치철학자라기보다는 문학가의 문체에 가깝다. 사실 그는 소설책도 출판하여 큰 인기를 얻은 바 있다. 어쨌든 루소의 글은 인문학적 상상력을 바탕으로 읽어야 맛이 더 살아난다. 마지막으로 그는 뒤바뀜의 원인을 모르겠다고 쓰고

68 루소, 이환 역, 『사회계약론』, 서울대학교 출판부, 2000, 5쪽.

있다. 모른다고? 『인간불평등 기원론』에서 루소는 그 이유가 기술문명 때문이라고 하지 않았나? 그다음 1부 6장에서는 변화의 필요성을 다음과 같이 외치고 있다.

> "나는, 자연상태에서 인간의 생존에 해로운 장애물들이 그 강력한 저항력으로써, 각 개인이 그 상태에서 자신을 유지하기 위해 사용할 수 있는 힘을 능가해 버린, 그런 시점에 사람들이 이르렀다고 가정해 본다. 그렇게 되면 그러한 원시상태는 더 이상 존속할 수 없게 되고 인류는 그의 존재양식을 바꾸지 않으면 멸망하고 말 것이다."[69]

존재양식을 바꾸지 않으면 멸망하고 말 것이다. 이 외침은 17세기에만 해당하는 것이 아니라 21세기를 살아가는 한국사회에도 여전히 유효해 보인다. 우리가 지금 다시 루소의 텍스트를 읽고 있는 이유가 바로 여기에 있다. 그렇다면 루소의 해결책은 무언가? 우리는 어떻게 우리의 존재양식을 바꾸어 갈 수 있을까? 기존의 힘을 새로운 방향으로 운영할 수 있는 방법을 찾는 것이다. 그것이 새로운 방식으로 사회계약을 체결하는 것이다.

69 루소, 『사회계약론』, 19쪽.

이 책에서 루소는 다시 한번 홉스와 로크의 사회계약론을 비판한다. 그 첫 번째 내용이 자연상태에 대한 비판이다, 루소는 전쟁상태란 오직 사물들 간의 관계에서 생겨난 것이며, 법률이 다스리는 사회상태에서도 인간 대 인간의 싸움이란 존재할 수 없다고 말한다. 이게 무슨 말인가? 내가 보기에 이것은 자본주의 물신성에 대한 단초를 제공하는데, 그 의미를 조심스럽게 설명해 보자. 우선 홉스는 인간 대 인간의 투쟁을 자연상태로 간주했고, 로크는 소유권의 보장이 없는 상태를 자연상태로 간주했는데, 그 내용을 곰곰이 생각해 보면 투쟁의 대상은 결국 재화의 획득과 관련이 있다. 사람이 아니라 재화가 투쟁의 원인이다. 그러니 루소는 사물들 간의 관계를 전쟁상태로 보고, 이것을 극복하는 방법을 고안하려 애쓴 것이다. 여기서 한발 더 나아가 전쟁상태는 국가 간의 관계라고 본다.[70] 이것은 국가라는 제도가 인간에게 평화를 보존할 수 없다는 것을 암시하고 있으며, 홉스적인 대표제 정치체제를 비판한 것으로 해석할 수 있다.

이러한 맥락에서 루소는 사회계약이 성립하기 전에 국민의 자격을 갖추는 조건이 무엇인지를 검토해야 한다고 강조한다.[71] 국민이 되는 자격이란 표현은 매우 추상적이지만, 대단히 중요한 전

70 루소, 『사회계약론』, 13쪽.

71 루소, 『사회계약론』, 17쪽.

제조건이다. 바로 이점이 홉스나 로크와 구분되는 사회계약의 출발점이다. 간략하게 루소의 생각을 추적해 보면 1부 8장 "시민 신분에 대하여"라는 장에서 그 단초를 발견할 수 있다. 여기서는 루소는 자연적 신분에서 시민적 신분으로 이행하는 과정에서 과거에 없었던 도덕성을 부여하고, 본능이 아니라 정의를 실현시킬 수 있는 인간이 되어야 한다고 주장한다. 결국 문명사회에서 타락한 심성을 자연상태의 순수한 본능과 유사한 상태로 만들어야 한다는 것이다. 그리고 루소는 법이 욕망을 대신하고, 자신의 욕망만을 바라보던 사람이 다른 원리에 따라서 행동할 수 있어야 한다고 적고 있다. 이렇게 하여 그는 자연적 자유를 잃게 되지만 사회적 자유를 얻게 될 것이다. 여기서 자연상태/문명상태, 자연적 자유/사회적 자유라는 이분법적 도식이 여전히 작동하고 있다.

이 대목에서 필자에게 하나의 의문이 든다. 인간 심성의 변화는 도덕적 각성으로부터 시작되는가? 아니면 제도의 변화가 인간성을 변화시키는가? 사실 이 질문은 루소에게 동전의 양면과 같이 늘 제기되는 의문이다. 어디가 먼저이고 무엇이 결과인지 분명하지 않다. 그래서 루소의 해석자들은 의견이 여러 갈래로 분산된다.

아무튼 사회계약의 새로운 방식은 기존의 사회계약론을 부인하는 것에서 출발한다. 여기서 루소는 다수결의 법칙을 부인하고, 최초의 계약은 만장일치로 결의되어야 한다고 주장한다. 왜 만장일치가 필요할까? 그 대답은 다음 문장에서 유추해 볼 수 있다. 나 자신에게 스스로 복종할 수 있는 연합체를 만들기 위해서는, 계약 이후에도 여전히 나 자신이 자유로울 수 있는 공동체를 만들기 위해서는, 모든 공공의 힘으로부터 자신의 신체와 재산을 보호할 수 있는 연합체를 만들기 위해서는, 만장일치의 결의가 한 번은 필요하기 때문이다.[72] 그리고 이러한 방법을 통해서만 비로소 모든 인간들은 사회계약을 통해서 평등해진다. 이러한 방식을 한마디로 일반의지에 의한 계약이라고 말하고, 그 결과 생겨난 공동체가 공화국이다.

"우리는 각자 자신의 신체와 모든 능력을 공동의 것으로 만들어 전체의사(volonté générale)의 최고 감독하에 둔다. 그리고 우리는 각 성원을 전체와 불가분의 부분으로서 한 몸으로 받아들인다. 그 순간, 각 계약자의 개인적 인격은 사라지고 이 결합행위는 대신 하나의 집합적인 법인체를 만든다(...). 이처럼 개인의 인격들이 모두 결합되는 이 공적 인격을 이름하여 옛날에는 도시국가라 불렀고, 지금은 공화국(République) 또는 정치체라고 부른다."[73]

이렇게 탄생한 공화국에서는 모든 구성원이 가진 재산도 모두 공동체에 양도한다. 따라서 소유권은 존재하지 않고 경제적으로

72 루소, 『사회계약론』, 19쪽.

73 루소, 『사회계약론』, 21쪽.

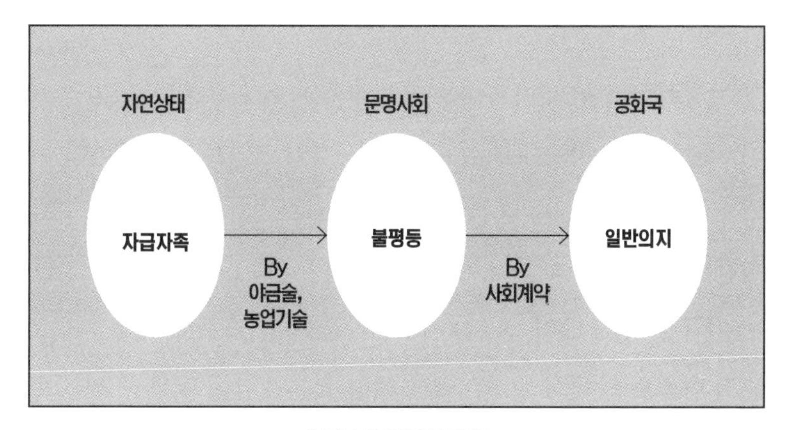

인간본성과 체제의 변화

평등하다. 이 점이 바로 로크의 사회계약론과 극적으로 차이가 나는 부분이다. 루소는 1부 9장에서 로크의 소유권에 대하여 맹렬하게 비판한다. 선취권을 거부하고, 개인의 사적 소유권을 원칙적으로 부인한다. 특히 토지에 대한 소유권은 공동체에게 전적으로 부여된다. 그리고 이 장의 말미에서 루소는 인간 사이의 불평등을 합법적인 평등으로 대치하고, 인간의 능력이나 재능에 있어서 불평등도 계약에 통해 법적으로 평등하게 만드는 것이 사회계약의 목표라고 결론 내리고 있다. 이 대목을 찬찬히 음미해 보면 사회주의적 소유권의 단초가 발견된다. 적어도 필자는 이 대목이 마르크스에 지대한 영향을 주었다고 판단한다. 결국 루소는 로크식의 화폐경제를 반대하고 자급자족적인 농업을 중시했으며, 불평등을 야기하는 경쟁을 반대하면서 시장의 교환논리를 최소하는 데 관심을 두었

다.[74]

그렇다면 이렇게 만들어진 공동체는 어떻게 운영되는가? 그것이 바로 일반의지(volonté générale)이다. 그럼 일반의지를 한마디 어떻게 규정할 수 있는가? 불행하게도 일반의지를 한마디로 설명하기란 불가능하다. 더구나 루소 자신도 이 개념을 설명하면서 상반된 언급을 하고 있어, 혼란은 더욱 가중된다. 그럼에도 불구하고 그의 텍스트 안에서 일반의지에 대한 기본개념을 크게 두 가지로 분류하여 접근해 볼 수 있다. 일단 『사회계약론』 2부에 등장하는 일반의지의 기본 개념을 추적하면서, 현대적인 의미에서 이 개념이 갖는 기능적인 의미를 2가지로 분류해 보도록 하자.

루소는 "2부 1장. 주권은 양도할 수 없다"라는 장의 첫 문장에서 일반의지만이 국가의 힘을 공동이익이라는 국가설립 목적에 따라 지도할 수 있다고 적고 있다. 이러한 일반의지의 기준은 바로 구성원의 이해관계를 일치시킬 수 있느냐에 달려 있다. 그리고 주권이란 바로 일반의지의 행사라고 단언한다. 일반의지[75]에 대한 설

74 농촌에 대한 루소의 동경은 그가 쓴 소설 『새로운 엘로이즈』라는 책에서 잘 나타나 있다.

75 필자가 사용하고 있는 번역본 『사회계약론』에서는 VOLONTE GENERALE을 전체의사라고 번역하고 있어 다소 오해의 소지가 있다. 필자는 일반의지라고 번역하고, 아래에서 인용하는 모든 문장 안에서 전체의

명은 개별의사라는 개념과 대비되어 이후에도 산발적으로 지속된다. 그 내용을 항목별로 정리하면 다음과 같다.

2부 2장

1. 일반의지는 평등을 지향하고, 개별의사는 편파성을 지향한다.
2. 일반의지는 주권이며 양도할 수 없으며, 분할할 수도 없다. 다만 대상에 따라서 입법권과 행정권 등으로 구분한다.
3. 일반의지가 되기 위해서는 의사가 반드시 만장일치가 되어야 하는 것은 아니다. 그러나 전원의 투표가 집계될 필요는 있다.

2부 3장

1. 사람들은 항상 자기의 이익을 바라지만, 무엇이 자기의 이익인지 잘 모른다.
2. 일반의지는 공익에 유의한다. 반면 모든 사람의 의지는 사리를 염두에 둔다.
3. 모든 사람[76]들의 의사는 개인 의견들의 총합일 뿐이다.

사는 일반의지로 바꾸어 적었다.

76 모든 사람의 의지는 VOLONTE TOTALE이다. 이것은 로크식의 다수결의 의미를 갖는다.

4. 많은 수의 사소한 의견 차이를 통해서 일반의지가 얻어질 것이고, 그 결의는 항상 좋은 것이 될 것이다.
5. 당파나 부분적 조합의 의사는 국가 전체에 대해서는 개별의사이다.
6. 일반의지가 올바르게 표명되기 위해서는 국가 안에 파당이 없어야 하고 시민 각자는 오직 자신의 의견에 따라 개진해야 한다.

2부 4장

1. 주권자 편에서 공동체에 무용한 어떤 속박도 그 백성들에게 부여할 수 없다.
2. 일반의지는 전체에서 시작하여 전체에 적용되어야 하며, 그것이 어느 개인적이고 한정된 대상에 편중되어 사용되는 경우 본래의 정당성을 상실하고 만다.
3. 의사를 전체적인 것으로 만드는 것은 투표자의 수보다 오히려 그들을 결합시키는 공동이익이라는 것을 알아야 한다.
4. 이 계약의 특성에 의해 주권의 모든 행위, 다시 말해 일반의지의 정당한 모든 행위는 모든 시민들에게 평등하게 의무와 권리를 부여한다.
5. 주권의 행위란 무엇인가? 그것은 상급자와 하급자 간의 계약행위가 아니라 전체가 그 구성원 각자들과 맺는 계약행위이다.

6. 백성들이 오직 이 협정만을 따르는 한 그들은 어느 누구에게 복종하는 것이 아니라 단지 자기 자신의 의사만을 쫓는다.
7. 주권자의 권리와 시민의 권리가 각기 어디까지 확대되는가를 묻는다면, 이것은 시민들이 자기 자신들에 대해, 즉 개인은 전체에 대해 그리고 전체는 각 개인에 대해 어느 정도까지 의무를 질 수 있는지를 묻는 것이 된다.
8. 사회계약에 있어 개인들이 정녕 무엇인가를 포기한다는 것은 전혀 그릇된 것이다.
9. 양도하는 대신 일종의 유리한 교환, 즉 불확실하고 불안전한 존재 양식 대신 더 좋고 안전한 존재 양식으로 교환하는 것.
10. 자연적 독립 대신 자유로 타인을 해치는 힘 대신 그들 자신의 안전으로 교환하는 것.
11. 남들이 제압할 수 있는 자신의 미약한 힘 대신 사회적 결합에 의해 무적의 힘을 갖게 되는 권리로 교환하는 것이다.

2부 5장

1. 사회협정은 계약자의 생명 보존을 그 목적으로 한다.
2. 범법자가 처형을 당할 때는 시민으로서라기보다는 차라리 적으로 간주된다.
3. 이 처벌의 심리와 판결은 그가 사회계약을 깨트렸고, 따라서 더 이상 국가의 구성원이 아니라는 증거이자 선언이다.

2부 6장

1. 사회협약에 의해서 정치체에 존재와 생명을 부여했다.
2. 남은 문제는 이제 입법에 의해서 이 조직에 활동과 의지를 부여하는 일이다.
3. 권리를 의무와 결합시키고 정의를 그 대상에 이르도록 하기 위해서는 약속과 법이 필요하다.
4. 법이 적용되는 대상도 법을 제정하는 의사와 마찬가지로 전체적이 된다. 이와 같은 행위를 나는 법이라고 부른다.
5. 법은 국민을 한 조직체로 그리고 행위를 추상적인 것으로 간주할 뿐 결코 한 인간을 개인으로, 그리고 한 행동을 개별적인 것으로 고려하지 않는다.
6. 법이란 전체의사의 행동이기 때문이다.
7. 법이 바로 우리 자신의 의사의 기록이기 때문이다.
8. 나는 정부 형태가 어떤 것이든 간에 법의 의해 통치되는 모든 국가를 공화국이라고 부른다.
9. 법에 복종하는 국민이 법의 제정자가 되어야 마땅하다.
10. 연합하여 결사하는 자들만이 그 구성체 조건을 결정할 권리를 가질 수 있다.
11. 정치체는 어떻게 해서 필요한 순간에 법을 공포할 수 있는가?
12. 어떻게 해서 이 대중이 입법 체계화 같은 중대하고도 어려운 일을 집행할 수 있겠는가?

13. 국민은 항상 자신의 이익을 바라고 있지만 그 이익이 무엇인지 항상 알고 있지는 않다.
14. 전체의사는 항상 옳은 것이지만 그것을 인도하는 판단은 늘 현명하지 않다.
15. 따라서 일반의지에게 사물을 있는 그대로, 때로는 마땅히 그렇게 되어야 할 형태로 보여주어야 한다.
15. 자기가 찾는 바른길을 가르쳐 주어야 한다.
16. 개인 의사의 유혹 속으로부터 안전하게 지켜주어야 한다.
17. 시간과 공간을 가까이 바라보게 하여 목전의 민감한 이익의 유혹과 먼 훗날의 보이지 않는 재난의 위험을 비교할 수 있게 해 주어야 한다.
18. 개인은 이익을 잘 알아보지만 그것을 포기해 버리는 반면, 공중은 이익을 원하지만 그것을 알아보지 못한다. 양편을 모두 지도할 필요가 있다.
19. 전자의 경우에는 그들의 의지를 이성에 부합하도록 강요해야 하고, 후자의 경우에는 그들이 원하는 바가 무엇인가를 가르쳐 주어야 한다.
20. 그렇게 되면 공중은 각성함으로써 사회체 속에서 이성과 의지가 결합되고, 따라서 각 부분 간의 정확한 협력이 이루어지고 전체는 자신의 최대의 역량을 발휘하게 된다.
21. 입법자의 존재가 요구되는 것은 바로 이러한 이유에서이다.

2부 7장

1. 국가에 가장 적합한 사회규칙을 발견하려면 지성이 필요하다.
2. 인간들에게 법을 제정해 주기 위해서는 신들이 있어야 할 것이다.
3. 플라톤은 『정치론』에서 시민 또는 왕을 찾고 있었다. 군주는 입법자가 제정한 모형을 따르기만 하면 된다.
4. 입법자는 다름 아닌 기계를 창안해 내는 기계공이고, 군주는 이 기계를 조립하여 가동시키는 공인에 불과하다.
5. 한 국민에게 감히 제도를 만들어 주려고 하는 사람은 말하자면 인간의 자연적 상태를 개조하는 위치에 있음을 스스로 느껴야 한다.
6. 그는 인간의 체질을 변화시켜 이를 강화시키며 우리가 자연으로부터 받은 독립적이고 육체적인 존재를 부분적이고 정신적인 존재로 바꾸어 놓아야 한다.
7. 전체에 의해 얻어진 힘이 모든 개인들의 자연적 힘의 총화와 같거나 그 이상이 되면, 입법은 이제 도달할 수 있는 최고의 완벽성에 이르렀다고 말할 수 있다.
8. 입법자는 국가에서 어느 점으로 보나 비상한 인물이다.
9. 리쿠르구스가 그의 조국에 법을 만들어 주었을 때 그가 제일 먼저 한 일은 왕위를 포기하는 것이었다.
10. 그러므로 법을 작성하는 사람은 결코 입법권을 가지 않으며

또 가져서도 안 된다.

11. 입법은 인간의 능력을 넘어서는 작업이라는 사실과 그 작업을 행하기 위해서는 어떤 권한 없는 권위자가 요구된다.
12. 한 국민이 형성되면서부터 정치의 건전한 원칙들을 이해하고 국가 존재 이유의 기본 규칙들을 따를 수 있게 해야 한다.
13. 이를 위해서는 입법의 결과로서 얻어져야 할 사회정신이 그 입법의 동기가 되어야 한다.
14. 이를 위해서는 사람들은 법이 제정되기 전에 이미 법이 규정하는 당위적 인간이 되어야 할 것이다.
15. 입법자는 일반 대중이 결코 이해할 수 없는 이 숭고한 국가의 존재 이유를 신들의 결정에 위임함으로써, 인간의 지혜로는 움직일 수 없는 사람들을 신의 권위를 빌어 이끌어 가는 것이다.

2부 11장

1. 모든 입법체계의 목적은 자유와 평등이다
2. 부는 어떤 시민도 다른 사람을 매수할 수 있을 만큼 풍족해도 안 되고 또 자신을 팔아야 할 만큼 가난해서도 안 된다.
3. 사물의 추이가 항상 평등을 파괴하는 방향으로 나아가고 있는 만큼 입법의 힘은 그것을 유지하는 방향으로 나아가야 한다.
4. 만인에게 공통된 원리 외에도, 각 국민은 이 보편적 원리를 어떤 특이한 방식으로 조직하고 입법을 그들에게만 고유한

것으로 만드는 어떤 이유를 자신들 속에 간직하고 있다.

5. 국가의 구조가 진실로 확고하고 지속적인 되는 것은 법이 자연적 관계를 보장하고 그것과 동행하고 나아가서 그것을 교정하는 것으로 그칠 때에 한한다.

2부 12장

1. 법의 분류는 4가지이다
2. 주권자의 국가에 대한 관계를 규정하는 것을 정치법, 또는 기본법이라고 한다.
3. 구성원 상호 간의 관계를 규정하는 것은 민법이다.
4. 인간과 법의 관계를 규정하는 것은 형법이다.
5. 국민의 마음속에 깊이 들어 있는 법이 있는데, 이것이 국가의 진정한 구조이다. 그것은 도덕, 습관 특히 여론이다.
6. 훌륭한 입법자는 개별적인 법제만 신경 쓰기보다는 도덕 습관과 여론에 머리를 쓴다.
7. 도덕이야말로 형성되기에는 보다 긴 시간이 걸리지만 결국은 국가를 지탱하는 확고한 종석이다.

『사회계약론』 2부는 일반의지에 대한 개념 정의가 서술되고 있다. 그런데 여기서 루소가 전개하는 다양한 설명들이 일반의지를 이해하는 데 혼란을 주고 있다. 서로 충돌하고 모순되는 경우가 더 많기 때문이다.

대표적인 예가 2부 2장 3절과 4장의 3절의 대조이다. 전자에서는 투표의 집계를 통해서 일반의지를 파악할 수 있는 것으로 설명하다가, 3장에서는 투표 수보다는 공동이익이라는 목표가 일반의지의 핵심이라고 말하고 있다. 또 6장 9절에서는 법이 일반의지의 형태라고 말하면서 모든 국민이 법의 제정자가 되어야 한다고 말하지만 12절에서는 일반대중이 입법과정에서 실질적인 역할을 할 수 있을지에 대해 의문을 제기한다. 18절에서는 개인의 이익과 공중의 이익을 대조하면서 양편 모두가 문제가 있으니, 이들을 지도해야 한다고 적고 있다. 그런데 2부 3장에서는 공중의 이익이 일반의지를 형성한다고 말한 바 있다. 그렇다면 공중이 지도되어야 한다는 말은 무슨 뜻인가?

2부 6장 11절에는 입법자가 있어야 한다고 말하고, 7장에서는 입법을 제대로 하기 위해서는 신이 필요하다고 적고 있다. 그렇다면 입법자가 신이라는 뜻인가? 그럼 모든 국민이 입법자가 되어야 한다는 6장 9절과 모순되지 않는가? 7장의 8절이나 15절은 분명 국민이 입법자라는 앞의 설명과 충돌한다. 2부 12장의 법의 분류를 보면 4번째의 법체계가 도덕이나 습관 여론이라고 말하는데, 이것도 일반의지로 부를 수 있나? 만일 가능하다면 공익을 위한 입법자의 참여라는 설명과는 논리적으로 모순이지 않나?

여러 가지 논리적 혼란들 중에서 필자가 판단하기로는 루소의 생각은 두 가지로 요약된다. 즉 일반의지를 신의 의지라고 간주하는 시각과 법 제정 과정이라고 보는 시각이 루소의 사유체계 안에 공존한다는 것이다. 전자의 경우에는 일반의지를 집단적 의지로 해석하거나 계급의식으로 해석하려는 경향이 강하다. 플라톤과 마르크스의 입장이 바로 여기에 속한다. 그리고 중세에는 신의 의지가 정치의 목표라고 생각했던바, 근대 사회계약론에 진입하면서 이러한 신의 의지가 일반의지라는 형식으로 변모했다고 볼 수도 있겠다. 루소의 이러한 생각이 헤겔에 이르러면 '역사 속의 간지', 또는 '절대적 국가이성'이라는 개념으로 자리를 잡는다. 그리고 현대에 이르면 레닌과 같은 혁명가들이 일반의지를 전위당 이론으로 흡수하기도 했다. 반면 후자의 경우에는 일반의지를 입법가들의 여론형성과정이라고 해석한다. 결국 전문적인 정치가들이 국가운영에 필요한 정책들을 만들어 이것을 대중에게 설득하는 방식을 일반의지라고 보는 것이다. 이러한 관점이 슈미트, 베버, 그리고 슘페터의 입장이다.

이러한 두 가지 흐름을 대조하면서 이해를 돕기 위해서 다음 장에서는 시에예스와 슘페터를 살펴보려고 한다. 전자는 프랑스대혁명에서 제3신분이 일반의지의 대표자라고 주장하여 루소의 사상을 현실에 적용한 사람이고, 후자는 현대정치에서 전문적인 정치인들이 입법화과정을 거쳐 여론을 형성하는 과정을 설명한 학자이기 때문이다. 이 두 사람이 일반의지를 어떻게 해석하는가를 살펴보면 루소의 일반의지가 현대정치에서 어떻게 수용되는가를 알게 될 것이다.

2장 | 시에예스와 슘페터: 루소에 대한 두 가지 해석

일반의지에 대한 현실적인 해석은 두 가지로 분류될 수 있다. 하나는 시에예스가 주장한 바대로, 국민들의 의사를 일반의지로 간주하고 국민들이 대표로 선출한 국민의회에서 헌법제정권력을 가진다. 둘째는 슘페터가 주장한 바대로, 입법절차를 통해서 법을 만들어내는 정치인들의 전문성에서 일반의지를 찾는 방식이다. 전자는 주로 프랑스대혁명 시기 제헌헌법을 만드는 과정에 일반의지를 적용한 예이며, 후자는 현대에 이르러 3권분립의 정치가 완성되어 가는 과정에서 입법부의 역할에 일반의지를 적용한 예이다. 이 두 가지 사례는 한국 상황에서 일반의지를 해석하는 방식에 커다란 의미를 준다. 그 내용을 살펴보자.

시에예스는『제3신분이란 무엇인가』에서 귀족층과 성직자들이 국민을 대표할 수 있는 신분이 아니라는 점을 밝히고 있다. 그 이유는 국민이 생존하고 번영하기 위한 활동이 4가지 있는바 귀족이나 성직자들이 여기에 포함되지 않기 때문이다. 생존활동은 첫째는 농촌활동, 둘째는 수공업, 셋째는 유통업자, 넷째는 자유직업(학문적 직업)이 그것이다.[77] 또 공적 영역이라고 할 수 있는 군사, 법률,

77 시에예스, 박인수 역,『제3신분이란 무엇인가?』, 책세상, 2003, 19쪽.

종교, 행정들을 살펴보아도 제3신분이 20분의 19를 차지하고 있다. 따라서 제3신분만이 국민 전체를 대표한다. 여기서 시에예스가 생각하는 국민이 무엇인지 명확하게 드러난다. 국민이란 생존활동에 밀접하게 연결되며, 수적으로 다수를 가리킨다. 이러한 맥락에서 시에예스가 국민들을 생각하는 철학적 기초는 실용적이고, 경제적인 관점에 근거하고 있다. 그런데 시에예스에 따르면 지금까지 삼부회는 귀족과 성직자들로 구성된 회의였으며, 따라서 국민의 대다수를 차지하는 제3신분으로 새로운 국민의회를 구성하여야 한다. 왜냐하면 헌법과 관련하여 여러 가지 의견 충돌이 있을 경우 그것을 해결하는 유일한 방법은 명사회의에 의존할 것이 아니라, 국민 전체에 의존해야 하기 때문이다. 또 헌법이 없다면 헌법을 제정해야 하는데, 이때 국민만이 헌법을 제정할 권리를 갖는다. 이것이 프랑스대혁명 당시 상황이며, 또 1948년 제헌헌법을 준비하던 대한민국의 상황과도 유사하다.

한편 정치사회는 구성원 개인들의 전체로서만 존재할 수 있다. 일반의지는 구성원 개인들의 의견을 종합한 것이다. 따라서 귀족과 성직자의 소수의견이 제3신분의 의견을 대신할 수는 없다. 따라서 일반의지란 유권자 수를 근거로 한다, 그리고 대표만이 헌법을 제정할 수 있다. 이것이 바로 헌법 제정권력이다. 또한 이것은 신분이 아니라 개인으로 구성된 대표성에 의해서 성립한다. 따라서 투표는 신분이 아니라 개인 자격으로 이루어져야 한다.

"개인 의사들은 공통의사의 유일한 구성 요소들이다. 우리는 여기에 참여하고 있는 거대한 수를 법적으로 배제할 수 없으며, 어떤 열 개의 의사는 한 개의 가치밖에 없는 반면 또 다른 열 개의 의사는 서른 개의 가치를 정할 수 없다. (...) 공통의사는 과반수의 의견이지 소수자의 의견이 아니라는 가장 명백한 이 원칙을 잠시라도 소홀히 한다면 논리를 언급하는 것은 헛된 일이다."[78]

"국민의 의사란 무엇인가? 국민이 개인들의 집합인 것과 같이 국민의 의사란 개인들의 의사에서 나온 것이다. 공동의 안전, 공동의 자유, 나아가 공적인 일을 목표로 하지 않는 정당한 기초 사회를 생각한다는 것은 불가능한 일이다."[79]

그런데 시에예스에 따르면, 국민의 대다수는 제3신분으로 구성되는 만큼 귀족과 성직자와 달리 제3신분은 국민의회를 구성할 필요가 있다. 그리고 국민재판소를 만들어 헌법과 관련된 모든 논쟁을 심판할 수 있도록 해야 한다. 이것이 입법부의 구성권력이라고 할 수 있다. 이렇게 하여 시민들의 공통의 이해관계가 결정된다. 이러한 맥락에서 국민이란 공통의 법률 아래서 살아가는 구성원이

78 시에예스, 『제3신분이란 무엇인가?』, 105쪽.

79 시에예스, 『제3신분이란 무엇인가?』, 125쪽.

다. 이것은 모든 인민을 하나의 국민으로 다시 태어나게 만든 것으로 국민통합이론이라고 부를 수 있다. 그러므로 국민은 법률 그 자체이다.

국민을 근거로 헌법제정 권력을 생각했던 시에예스의 발상은 이후 정치철학자들에게 많은 시사점을 준다. 예를 들어 1848년 공산당 선언을 발표했던 마르크스는 국민이란 부르주아적 철학에서 나온 것이라고 비판한다. 왜냐하면 생활의 생존이 이미 부르주아적 경제질서에 지배되고 있는 만큼 사회는 자본가와 노동자의 대립으로 구성되어 있고, 대다수의 노동자들은 착취 받는 피해자이며, 이들은 다수를 구성하기 때문이다. 따라서 새로운 사회를 구성하기 위한 원동력은 프롤레타리아에게 있다. 이러한 사고는 시에예스가 귀족과 성직자들과 대조되는 제3신분을 새로운 혁명의 주체로 간주했던 것과 유사하다.

또 러시아 혁명기의 레닌과 중국 혁명기의 마오쩌둥은 새로운 혁명의 주체로 전위당이라는 이론을 제시한다. 혁명기에는 모든 인민과 프롤레타리아가 자신의 대표를 내세워 공동의 의견을 만들어 내는 것이 불가능하며, 촉박한 혁명의 과업을 달성하기 위해서는 인민과 프롤레타리아의 의견을 주도해 가는 정치 엘리트들의 의견을 일반의지로 간주해야 한다는 이론이다. 이것은 마르크스의 프롤레타리아 독재라는 개념에서 유래한다. 즉 혁명 상황에서는 정치엘리트들의 전문성을 인정해야 한다는 것이다. 마치 앞서가는 마차를 따라가는 것처럼 앞에서 전진하는 당(전위당)의 뜻을 따라야 한다는 것이다. 그러나 이러한 엘리트주의는 일반의지를 독재정치를 옹호하는 데 악용하는 전례를 남기게 된다.

한편 슘페터는 고전적 민주주의 학설을 비판하는 것으로 출발한다. 그가 비판의 대상으로 삼는 것은 일반의지가 분명히 존재한다는 루소의 전제이다. 그가 자신의 저서[80]에서 직접 루소의 이름을 거론하고 있지는 않으나, 슘페터가 비판하는 대상은 루소의 일반의지를 가리키고 있음을 쉽게 짐작할 수 있다. 예를 들어 "민주주의 방식이라 함은 정치적 결의에 도달하기 위한 하나의 제도상의 협정이며, 인민의 의사를 수행할 목적으로 회합할 사람들은 선출을 통하여 인민 자신으로 하여금 여러 문제를 결정케 함으로써 공공선을 실현시킬 것을 협정의 내용으로 하는 것이다. "또 모든 인민은 원리상 의견의 일치를 보게 됨으로 여기에 인민의 공공의사도 존재한다"[81]라는 문장 등이 바로 전형적인 루소식 표현이다. 그런데 슘페터는 공공선의 실현이라는 정치의 목표는 정치를 전문적으로 하는 사람들에게 위임되어야 한다고 주장한다. 이러한 논리를 더 연장하게 되면 일반의지라는 것도 정치인들이 상호 간의 경쟁적인 의견 대립과 주도권 대립을 통해서 만들어지는 것이다. 그리고 그는 다음과 같이 일반의지에 대해 노골적인 비판을 한다.

80 슘페커, 이상구 역, 『자본주의, 사회주의, 민주주의』, 삼성출판사, 1993.

81 슘페커, 『자본주의, 사회주의, 민주주의』, 336쪽.

첫째, 모든 인민이 동의할 수 있거나 합리적 추론의 힘을 빌어 모든 인민이 동의하는 더할 나위 없이 확정적인 공공선이라는 것은 없다.

둘째, 공공선이 모든 사람에 의하여 승인을 받게 된다 하더라도, 이것은 개개의 문제에 대해서 균일하게 명확한 해답이 주어진다는 것을 의미하지 않는다.

셋째, 따라서 위의 두 가지 이유로 해서 인민의 의사 또는 일반의사라는 특수개념은 저절로 사라진다. 왜냐하면 그 개념은 모든 사람이 간취할 수 있는 비할 수 없이 확정적인 공공선의 존재를 전제조건으로 하는 것이기 때문이다.[82]

위의 논리는 결국 일반의지라는 것이 개인이나 집단의 경쟁적인 의견 충돌과 민주적 절차 안에서 결정되는 것임을 시사한다. 그리고 이러한 작용과 반작용의 핵심은 바로 정당 내의 주도권 경쟁이다. 즉 서로가 자신의 이념과 정책을 의회를 통해서 통과시키고, 실현시키기 위해서 정치인들이 투쟁하는 과정이 바로 민주정치라는 것이다. 이렇게 도달한 의견은 처음에 의도했던 의견들과는 차이가 있을 수 있다. 주도권 경쟁에서 이념과 정책들은 변질되기 마

82 슘페커, 『자본주의, 사회주의, 민주주의』, 338쪽.

련이다. 다시 말해 정치적 결정과정에서 마지막에 살아남은 의견들은 인민이 진실로 원하는 것과는 다른 것일 수도 있다

여기서 한발 더 나아가 슘페터는 현대정치의 특수한 쟁점들은 보통의 사람들이 이해할 수 없는 것이 많기 때문에, 인민이 원하는 바를 규정할 수 없다고 주장한다. 예컨대 보호관세, 은 정책과 같은 19세기 후반에 국가정책들은 정책내용이 복잡하여, 유권자들은 이러한 정책이 자신의 이해관계에 어떤 영향을 줄지 제대로 인지하기가 어렵다. 비록 유권자들이 자신의 이익에 대해서 민감하게 알아차린다고 해도, 그것은 대부분 단기적인 이해일 뿐이며, 장기적이거나 국가 전체의 수준에서, 바람직한 정책이 무엇인지 결정하는 것은 개인들의 일반의지를 수렴하는 것으로는 불가능하다.

여기에서 여론의 역할도 중요하다. 위에서 지적한 보호관세나 은 정책이 현대적인 용어로 풀어쓰면 국가의 경제정책인데, 일반 시민들이 이러한 정책에 대해서 정보를 입수하는 과정은 결국 매스미디어를 통하는 길뿐이다. 여기에서 정확한 정보를 얻기가 어려울 뿐만 아니라, 미디어의 정치적 편향성이 직접적이든 혹은 간접적이든 존재하기 마련이어서, 애초에 인민들의 일반의지가 순수하게 존재한다고 생각하는 것 자체가 매우 순진한 발상이다. 또 정확한 정보가 전달된다고 가정하더라도, 일반 시민들은 자신만의 독특한 편견이 이미 존재하는 바, 외부로부터 전달된 새로운 정보를 중립적으로 해석한다는 보증은 없다.

지금까지 서술한 내용을 기반으로 슘페터는 일반의지란 선험적

으로 존재하는 것이 아니라, 정치인들에 의해서 만들어지는 것이라고 말한다. 그렇다면 왜 18세기 정치이론가들은, 특히 루소는 일반의지라는 개념을 만들어 내었는가? 그리고 이러한 개념이 현대정치에서는 왜 적용이 되지 않는가? 슘페터는 그 대답을 당대의 종교적 신념과 관련지어 설명한다. 즉 루소를 필두로 한 18세기 계몽사상가들은 종교에 대해서 비판적인 입장이었지만, 그들의 이론체계 안에는 신교의 교리들을 내포하고 있다는 것이다. 종교적 형이상학의 논리가 정치적 이념으로 반영된 것이 일반의지의 개념이라는 것이다. 즉 고대에서부터 시작된 형이상학의 이상향과 중세의 신의 의지에 대한 믿음이 근대 사회계약론에서는 일반의지라는 개념으로 정착된 것이다. 이것이 바로 근대 민주주의 이론에 남아 있는 초현실적인 요인들이다.

따라서 민주주의의 본질을 이해하는 시각을 바꾸어야 한다. 민주주의는 개인들의 의사를 수렵하거나, 형이상학적인 목표를 추구하는 것이 아니라, 정치인들이 전개하는"주도권"[83] 경쟁이다. 근대정치는 선거를 통해서 대표들을 선출하는 과정을 피할 수 없으며, 이렇게 선출된 대표들은 정치적 전문성을 가진 사람들이다. 따

83 필자가 참고하고 있는 번역본에서는 영도권이라는 단어를 사용하고 있는데, 이 번역어가 자칫 영토적 주권을 가리키는 것으로 오해할 여지가 있어서, 필자는 주도권이라는 단어로 바꾸어 사용하기로 한다.

라서 그들이 정치권에서 실천하는 정책과정을 인민들이 세세히 알 수가 없으며, 그들의 결정을 수동적으로 받아들이지 않을 수 없다. 이것이 오늘날의 현실이다. 루소식의 민주주의는 인민들의 의사가 더 중요하며, 그래서 직접 민주주의를 선호했지만 현실적으로 직접 민주주의는 불가능하다. 따라서 선거를 통해 대표자를 선출할 수밖에 없고 그들의 전문성을 인정할 수밖에 없다. 즉 일반의지란 정치적 대표자들이 만들어 낸 정책일 뿐이다.

> "우리가 제조된 의사라고 불렀던 것은, 이제는 우리의 이론의 범위를 일탈하는 것이 아니다. 즉, 우리의 이론에 있어서 제조된 의사는 우리가 존재하지 않기를 기원하는 종류의 일탈적 현상이 아니다. 제조된 의사는 우리의 이론에 있어서 그것이 마땅히 차지하여야 할 바로 그 중요한 자리를 차지하게 된다."[84]

따라서 이제 이론의 초점은 일반의지의 실체를 규명하는 것이 아니라, 정치적 주도권 경쟁을 어떻게 전개되는가를 파악하는 것이며, 여기에는 관료들의 역할이 매우 중요해진다. 왜냐하면 정당이나 입법부 등에서 실제로 정책을 발휘하는 사람들이 바로 관료

84 슘페터, 『자본주의, 사회주의, 민주주의』, 363쪽.

들이며, 이들의 언변과 생각들이 정치인들의 입을 통해서 정치현장에서 발휘되기 때문이다. 또 정치인들은 선거결과에 따라서 정치무대에서 살아남거나 사라지기도 하지만, 관료들은 직업적으로 정치를 하는 사람들이기 때문에 오랫동안 정치권에서 정책을 담당하는 집단으로 존재한다.[85] 이렇게 놓고 보면 관료들이 어떤 정치적 색깔을 가지고 있는가를 파악하는 것이 일반의지를 규정하는 데 매우 중요하다.

> "스위스를 제외한 어떠한 형태의 현대 민주정체에 있어서도 정치는 불가피하게 하나의 직업적인 도정이라는 것을 인정해야 한다. 이것은 순차적으로 우리로 하여금 개개의 정치가는 독자적인 직업적 이해를 가지고 있고 정치란 직업 그 자체에는 독자적인 집단적 이해가 내재하고 있다는 것을 인식하게 한다."[86]

85 이러한 발상은 막스 베버의 『직업으로서의 정치』와 매우 유사하다. 베버나 슘페터는 19세기 말 비슷한 시대를 살았던 학자들이며, 두 사람은 정치적 성향도 매우 비슷한 학자들이었다. 한편 베버의 『직업으로서의 정치』에 대한 해설은 홍알정 1권 『정치를 보는 3가지 관점』 3부에서 자세히 설명한 바 있다.

86 슘페터, 『자본주의, 사회주의, 민주주의』, 384쪽.

결론적으로 민주정치가 제대로 되기 위해서는 몇 가지 조건이 필요하다. 첫째, 정치인으로 선출되려는 자는 높은 수준을 가져야 한다. 이제 일반의지는 국민으로부터 나오는 것이 아니라 정치인으로 나오기 때문이다. 둘째, 정치적 결정범위를 확대시키기보다는 전문적인 영역으로 한정시켜야 한다. 이것은 정책결정의 영향력이 광범위하게 적용되는 것이 그 정책에 반대하거나, 손해를 입게 되는 사람들의 수를 줄여야 한다는 의미이다. 셋째, 관료들의 수준을 올려야 한다. 선출된 정치인들도 실질적으로는 관료들의 도움을 받을 수밖에 없는 것이 현실이다. 따라서 관료들의 정치적 비전과 전문성이 고양될 수 있도록 체제를 정비해야 한다. 사실 관료들이 정치인을 교육하는 경우가 더 많다. 넷째, 일반 시민들이 정치적 협잡꾼에게 농락당하지 않도록 일정한 정치교육을 받고 지적인 수준을 유지해야 한다. 결국 일반 유권자들의 선택이 중요하다. 다섯째, 정치적 주도권 경쟁에서 승패가 나더라도, 패자의 의견을 충분히 수렴할 수 있는 제도가 마련되어야 한다.

위에서 살펴본 시에예스와 슘페터는 일반의지가 민주주의 정치에 접목될 수 있는 가능성을 서로 다른 시각에서 보여준 대표적인 이론들이다. 결국 현대정치의 목표는 일반의지에 대한 두 사람의 이론들을 종합적으로 적용할 수 있는 방법을 고안해 내는 것이다. 이러한 문제제기에 일말의 해답을 주는 시도가 있어 여기서 잠시 소개하려고 한다. 아즈마 히로키의 『일반의지 2.0』[87] 이라는 책은 우리의 문제의식에 적절한 답을 제시하고 있어 주목해 볼 만하다. 우선 여기서 저자는 일반의지라는 말 대신 일반욕구라는 단어를 제시한다. 여기서 일반욕구는 모든 사람의 희망사항을 평균화한 것이라고 말한다. 예를 들어 여러 사람들이 모여 회의를 하는데, 시간이 흐르면서 사람들이 목이 마르게 되고 그래서 음료수를 마시고 싶어지는 경우를 상상해보자. 이때 음료수를 마시고 싶다는 욕망은 회의의 주제와는 상관없이 모든 사람이 갖는 평균적인 욕구라고 볼 수있지 않을까? 물론 이때 음료수 대신 따스한 차를 마시고 싶어 하는 사람도 있을 것이다. 그러나 목이 말라서 뭔가를 마시고 싶다는 욕망은 평균적으로 인정할 만한 욕구이다. 그리고 이것은 투표를 통해서 합의를 도출해야만 하는 대상도 아니다.

그런데 이러한 평균적인 욕구를 전체 국민으로 확대해 볼 수는 없을까? 가능하다. 구글과 같은 새로운 전자기술을 통해서 전 국민이 평균적으로 원하는 욕구를 데이터베이스로 만들 수 있다는 것이 이 책의 저자가 주장하는 핵심이다. 구글이나 SNS가 다양한 상품들을 개인들의 욕구에 맞추어서 제시하고, 신상품이 나오면 또 새롭게 소비자에게 정보를 제공하는 기술을 이용하자는 것이다.

87 아즈마 히로키, 안천 역, 『일반의지 2.0』, 현실문학, 2012.

이것을 일반욕구라는 개념에 적용해 보면 다음과 같다. 한 개인이 그동안 구매했던 다양한 상품들, 그동안 시청했던 티비 드라마, 영화, 그리고 정치적 현안에 대해 댓글을 달았던 SNS 활동들에 대해서 종합적으로 정보를 수집할 수 있고, 이를 바탕으로 새로운 정책 결정에 이 사람이 어떤 결정을 내리게 될지를 예측할 수 있다. 이렇게 모인 정보들은 개인의 무의식적 욕구체계라고 할 수 있는데, 이것이 바로 일반의지 2.0이다

> "루소의 일반의지라는 개념도 상식적인 의미에서 정치나 의지로부터 동떨어져 있었다. 따라서 필자는 이제부터 이 데이터의 축적이야말로 현대사회의 일반의지라고 주장하고자 한다."[88]

저자는 오늘날의 사회가 총기록사회라고 표현한다. 모든 글쓰기와 욕망의 표현들이 데이터베이스로 수집되고 있기 때문이다. 현대사회는 온/오프라인을 막론하고 방대한 양의 개인정보가 축적되고 있으니, 이제부터 이것을 정치적으로 활용하자고 제안한다. 사실 루소는 입법자를 논하는 2부 7장에서 일반의지에 버금가는 입법을 하기 위해서는 신의 존재가 필요하다고 말한 바 있다. 어

88 아즈마 히로키, 『일반의지 2.0』, 85쪽.

쩌면 현대에서 데이터베이스가 신에 해당한다고 말할 수는 없을까? 이러한 논리에 따르면 현대정치에서 일반의지 2.0을 찾아내어 실현하는 것이 민주주의 목표가 되어야 한다.

또 그에 따르는 통치방식과 제도가 필요하다. 예를 들어 정부의 역할을 두 가지로 나누어 볼 수 있겠다. 첫째는 국민들이 원하는 공공서비스를 제공하는 역할이다. 여기에는 공공의료, 전기, 물 등의 기본 생필품을 제공하는 것이 그 예가 된다. 둘째는 보다 추상적이고 논쟁적인 정책들을 결정하는 것이다. 예를 들어 경제정책이나 외교정책과 같이 이념과 노선에 따라 토론과정을 거쳐 공론화하는 과정이 필요하다. 전자는 일반욕구, 후자는 일반의지라고 분류할 수 있다. 달리 표현하면, 전자를 무의식적 욕망의 영역이고, 후자는 숙의의 영역이다. 현대정치는 이 두 가지 영역을 모두 포괄해야 한다. 즉 숙의가 필요한 영역이 칸트, 헤겔, 하버마스로 이어지는 토론 민주주의 전통을 가지고 있다면, 욕망의 영역은 프로이트와 푸코를 이어가는 통치권[89]의 전통을 가지는 것이다. 이 두 가지

89 필자가 보기에 후기 프로이트는 문명과 인간의 욕망의 관계를 문제로 삼았다는 점에서 일반욕구라는 개념과 맞닿아 있다. 그리고 푸코의 통치성의 개념은 인간의 삶의 방식을 권력관계에서 논의했다는 점에서 일반욕구와 비슷한 문제의식을 가지고 있다. 프로이트는 라깡을 강의하는 자리에서 비교 설명할 것이며, 푸코의 통치성은 푸코의 사상을 강의하는 자

를 포괄하는 것이 바로 일반의지 2.0이다.

리에서 상세하게 설명할 것이다. 두 사람 모두 '프랑스의 포스트모더니즘'이라는 제목의 홍알정 시리즈에서 이미 강의했었고, 앞으로 책으로 출판될 것이다.

3장 | 루소와 스피노자: 감정의 정치학

루소는 『인간불평등 기원론』에서 인간의 심성을 amour de soi와 pitié로 구분한 바 있다. 전자는 생존본능으로 이성적 작용이며, 후자는 타자와의 연대감에 기초를 이루는 감정적 요인들이다. 이렇게 놓고 보면 루소는 인간을 이성과 감정의 결합체로 이해하고 있다. 사실 『사회계약론』의 4부 8장을 보면 사회구조를 이루는 기초가 있는데, 루소는 그것이 법과 제도 이외에 시민종교라고 역설한 바 있다. 이때 시민종교란 애국심과 같은 일종의 감정적 요인을 의미한다. 다시 말해 엄밀한 이성적 작용으로서 일반의지와 시민종교와 같은 감정적인 요인이 동시에 작동해야 공화국이 온전히 유지될 수 있다. 이런 루소의 입장은 후일 칸트의 공격을 받게 된다. 왜냐하면 칸트가 보기에 루소가 생각하는 이성의 범위는 매우 협소하며, 루소가 생각하는 감정이라는 것도 넓은 의미에서 이성의 한 형식이라고 생각하기 때문이다. 사실 이 문제는 루소와 칸트의 인식론적 대립이라는 차원을 넘어서 근대성과 포스트모던의 입장 차이라고 볼 수도 있다. 왜냐하면 칸트의 입장에 찬성하는 모더니즘의 정치철학은(대표적으로 하버마스를 꼽을 수 있다) 인간의 이성능력과 계몽적 순수성을 바탕으로 현대사회의 문제를 해결해 나갈 수 있다고 생각한 반면, 포스트모더니즘의 정치철학(대표적으로 푸코를 꼽을 수 있다)은 인간의 감수성에 주목하고 존재양식이 변화해야 한다고 강조하기 때문이다. 따라서 루소가 생각하는 감정이 무엇이

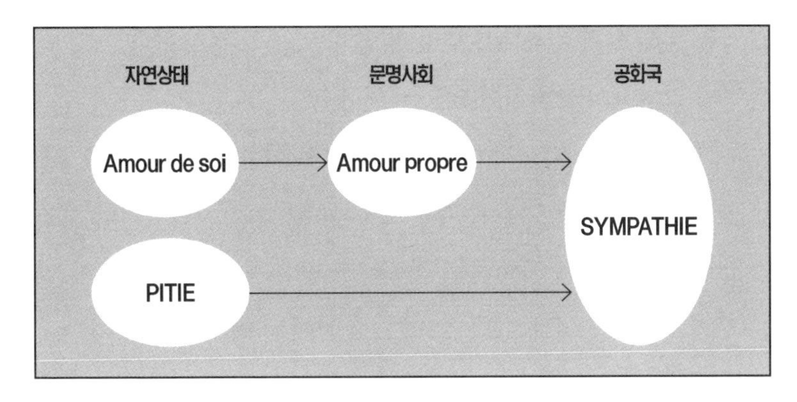

인간본성의 변화

며, 감정의 변화가 정치적 변화로 연계될 수 있는지를 파악하는 것은 매우 중요한 문제이다. 즉 자연상태에서 인간이 간직하던 성품과 감성의 조화가 문명사회에서 파괴되었다면, 이것이 사회계약 이후에 공화국에서는 어떻게 다시 복원될 수 있는가를 질문하는 것이 매우 적절해 보인다. 이런 의문을 해결하기 위해서 필자는 루소의 후기 저작인『에밀』에 나타난 감정교육의 목표와 스피노자의『에티카』에 나타난 감정의 정치적 기능을 비교해 보려고 한다. 지금까지 논의를 간략하게 그림으로 표현하면 위와 같다.

『에밀』은 잘 알려진 대로 루소가 말년에 집필한 교육학 저서이다. 에밀이라는 가상의 어린아이를 상정하고, 그 아이가 성장하는 순서대로 교육의 목표와 내용을 적고 있다. 나는 이 책에서 4부에 중점을 두려고 한다. 여기에 보면 사람과 사람 사이의 관계가 시작되는 지점이 바로 15세 이후 사춘기 시절이며, 이때부터 나와 타자와 감정적 대치가 중요한 교육의 목표로 등장한다. 바로 이 지점이 감정을 통해 사회적 유대를 만들어 낼 수 있는 근거가 된다. 이른바 감정의 정치학의 출발점이 되는 셈이다.

여기서 루소는 비교적 자세하게 감정 변화를 기술하고 있는데, 몇 가지 중요한 대목들을 추적해 보자. 우선 그는 어린아이의 최초 감정은 자기 자신을 사랑하는 것이라고 말한다. 그리고 주변에 있는 사람들을 사랑하게 된다. 그러므로 아이의 최초 감정은 타인에 대한 호의를 느끼는 것이다. 그런데 아이가 타인과의 관계에서 수동적인 의존상태를 확대해 감에 따라서 의무감이나 싫은 감정 따위가 생겨난다. 그래서 아이는 성장함에 따라서 명령적이 되고, 질투를 느끼게 되고, 사람을 속이거나 보복을 하거나 하게 된다. 최초의 자기애라는 감정은 자신의 일에만 몰두하기 때문에 그 욕구가 충족되면 만족하지만, 그 후에 나타나는 이기심, 질투 따위들은 남과 자신을 비교하는 것으로부터 시작되기 때문에 만족할 수 없다. 그래서 이기심으로부터 증오와 초조함이 발생한다.[90]

『인간불평등 기원론』에서 amour propre라고 설명했던 감정의 타락을『에밀』에서는 보다 정교하고 구체적으로 설명하고 있다. 여기서 보면 이기심, 증오, 초조함 따위들이 등장한다. 특히 루소는 자신을 남과 비교하는 것이 매우 위험스러운 감정이라고 설명하고

90 루소, 민희식 역,『에밀』, 육문사, 2002, 279쪽.

있다. 비교의 과정은 이후에 더 자세히 설명되고 있다. 루소는 누군가를 좋아하는 나이가 15세 이후라고 말하면서, 타자를 좋아하게 되면 상대도 나를 그렇게 생각해 주기를 원하게 된다. 그리고 사랑받기 위해서 다른 누구보다 한층 더 사랑스러운 인간이 되려고 한다. 그래서 이때부터 자신과 상대를 비교하기 시작하며, 그로부터 경쟁심, 질투심 등이 생겨난다. 그런데 연애와 사랑의 감정에는 그 목표를 이루지 못하는 사람이 늘 생기기 마련이며, 그래서 불화, 적대, 증오가 발생한다. 또 여기서 타인의 의견에 대한 의존이 생겨난다. 상대에게 잘 보이기 위해 그의 말에 복종하거나 의존하게 되는 것이다, 그래서 자신의 존재를 타인의 사고에 맡긴다. 오만, 허영 등이 이러한 감정의 확대과정에서 생겨나는 것들이다.

그렇다면 이러한 감정의 타락을 멈추고 감정에 일정한 규칙을 부여할 수 있는 방법은 없을까? 루소는 그것이 바로 감수성 훈련이라고 말한다. 여기에는 상상력의 흐름을 조정하는 것이 가장 중요하다. 왜냐하면 모든 혼탁한 정념의 근원은 감수성이며, 여기에 상상력이 흐름의 방향을 결정하기 때문이다. 정념을 부덕함으로 타락시키는 원인은 바로 상상력이다. [91]

상상력이 올바른 흐름으로 작동한 경우에 청년들은 우정을 느

91 루소, 『에밀』, 288쪽.

끼게 된다. 이것은 인간애의 최초의 씨앗이 된다. 그리고 이것은 타인에 대한 배려의 시작이다. 이런 맥락에서 4부에서 루소가 생각하는 청년기는 동정, 인자함, 관용, 우정 등의 감정들이 태동하는 시기이다. 이러한 감정들의 마지막 형태가 연민이고 동정심이다. 물론 이러한 연민과 동정심은 나보다 불쌍한 사람에게 느끼는 감정이며, 이것은 내가 타인보다 행복하다는 상황을 확인하는데서 시작된다. 그렇지만 동정심이란 내가 현재 맛보지 못한 고통을 언젠가는 느낄 수도 있다는 가능성에 대한 자각이며, 다른 사람에 대한 동화과정을 거치면서 일어나는 감정이다. 감수성이 올바르게 작동하는 감정이다.

"이제 싹트기 시작한 이 감수성에 자극을 주어 그것을 길러 가기 위해서는, 그것을 이끌어 간다기보다는 그 자연의 경향에 따라가기 위해서는, 우리는 대체 무엇을 해야 하는 것일까? (...) 결국 바꾸어 말하면, 친절한 마음, 인간애, 동정심, 자비심 등 스스로 사람들을 기쁘게 하는 모든 상냥하고 사람을 끄는 정념, 이른바 감수성을 무가치한 것으로 할 뿐만 아니라 부정적인 것으로 하여, 그것을 느끼고 있는 자의 마음을 들볶는 모든 정념이 생겨나지 않도록 해 주어야 하지 않을까?"[92]

92 루소, 『에밀』, 294쪽.

이러한 설명 뒤에 루소는 다음과 같은 두 가지 준칙을 정리한다.

1. 인간의 마음은 자신을 자기보다 행복한 사람의 입장에 놓고 생각할 수는 없다. 자기보다 불쌍한 사람의 입장에 자신을 놓고 생각할 수 있을 뿐이다.
2. 사람은 오직 자신도 면할 수 없으리라고 생각되는 타인의 불행만을 동정한다.

우선 필자의 눈에는 이러한 준칙들이 감정의 변화를 단계별로 정리하고 있다는 점에서 매우 신선한 접근으로 보인다. 특히 감정의 변화가 자기애를 근거로 하고 있다는 점에서 감정의 변화와 이성의 기능은 분리된 것이 아니다. 이런 점에서 루소가 감정과 이성을 분리했다는 칸트의 비판은 적절하지 않다. 다만 루소의 감정교육은 개인에 대한 차원을 넘어서지 못하고 있다. 즉 한 인간의 심성을 어떻게 교육하고 실천할 방법에 대하여 초점을 두고 있는 만큼, 감정의 변화가 공동체의 연대감을 유지하는 데 어떤 역할을 하는지에 대한 분명한 입장이 없다. 바로 이러한 약점을 극복하고 감정의 정치적 기능을 잘 보여주는 사례가 있는데, 그것이 바로 스피노자의 『에티카』이다.

『에티카』 3부는 '감정의 기원과 본성에 관하여'라는 제목을 달고 있다. 여기서 스피노자는 인간의 행동과 감정을 마치 자연법칙처럼 이해하려고 한다는 목표를 분명히 하고 있다. 즉 증오, 질투 등의 감정도 그 자체로 고찰하면 개별 사물과 마찬가지로 자연의 필연성에서 생겨난다고 주장한다. 여기서 스피노자는 감정이란 신체의 활동능력을 증대시키거나 감소시키며, 촉진하거나 억제하는 신체의 변용인 동시에 그러한 변용의 관념이라고 정의내린다. 그리고 그러한 변용에 타당한 원인이 있다면 능동으로, 그렇지 않다면 수동이라고 이해한다.[93] 감정의 변화와 신체의 변화를 연결시킨 것은 감정과 이성을 연결시킨 루소와는 입장이 사뭇 다르다. 루소가 자기애의 변화과정으로 감정을 다루고 있다면, 스피노자는 생존의 논리로 감정을 다루고 있기 때문이다.[94] 특히 스피노자는 감정과 신체의 대응관계를 강조하면서 코나투스라는 개념을 강조한다. 코나투스는 자신의 존재를 지속하려는 인간의 노력이다. 이것이 정신과 관련되어 있을 때는 의지라고 하고, 정신과 신체에 동시에 관련되어 있을 때는 충동이라고 한다. 따라서 충동은 인간의 본질이며, 생존의 본능이다. 그런데 코나투스는 타인과의 관계를 전제로 할 때 사회적 유대라는 개념과 깊숙이 맞물려 있다. 따라서

93 스피노자, 황태연 역, 『에티카』, 비홍출판사, 2004, 160쪽.

94 감정에 대한 루소와 스피노자의 입장 차이는 이미 필자가 연구한 바 있다. 홍성민, 『감정구조와 한국사회: 통합과 상생의 정치를 찾아서』, 한울엠프렉스, 2022. "1부 3장: 감정구조와 사회계약론: 루소와 스피노자"를 참조하라.

이 점을 확장해 보면 공동체가 어떻게 유지되며, 바람직한 공동체를 만들기 위한 공감대를 어떻게 만들어 가야 할까라는 윤리적 목표를 추적해 볼 수 있다.

우선 스피노자는 기본적인 감정을 세 가지로 분류한다. 즉, 기쁨, 슬픔, 욕망이다. 이 세 가지 감정이 타인과 마주할 때 다양한 형태로 변용된다. 나 자신의 코나투스가 긍정적으로 작동할 때 그 감정은 능동적인 것이 되며, 부정적으로 작용할 때 그 감정은 수동적인 것이 된다. 예를 들어 사랑이란 외적 원인의 관념을 수반하는 기쁨이며, 증오란 외적 원인의 관념을 수반하는 슬픔이다.[95] 그리고 기쁨은 나의 코나투스를 능동적으로 발휘하게 하며, 증오는 수동적으로 만든다. 스피노자는 감정의 변화를 개인적인 수준, 사회적인 수준으로 나누어 설명하는데, 필자의 관심은 후자 쪽에 있다. 특히 사회적 감정에서 연민, 호의, 분개, 질투 등의 감정을 설명하는 대목이 매우 중요해 보인다.

우선 스피노자는 연민을 타인의 불행에서 생기는 슬픔[96]이라고 정의 내린다. 그리고 타인에게 선을 행한 사람에 대한 사랑을 호의, 타인에게 악을 행한 사람에 대한 증오를 분개라고 한다. 질투는 인간이 타인의 불행을 기뻐하며 또 타인의 행복을 슬퍼하도록

95 스피노자, 『에티카』, 173쪽.

96 스피노자, 『에티카』, 180쪽.

결정된 감정이다. 그런데 재미있는 사실은 연민에 대해서 다시 한 번 다르게 정의 내리면서, 감정모방이라는 개념을 제시한다. 즉 나의 감정은 다른 사람의 반응에 따라 달라진다는 것이다. 한마디로 타인의 감정이 나의 감정에 영향을 준다는 점을 강조한다. 현대심리학의 용어로 풀어보면 감정이입에 해당할 것 같다. 그래서 감정의 모방이 슬픔에 관계되어 있을 때는 연민의 감정이 나타나며, 감정모방이 욕망에 관련되어 있을 때는 경쟁심이 나타난다. 한편 대중의 비위를 맞추려고 할 때 나타나는 감정은 야심(아부)이고, 선을 행하려는 의지는 자비심이다.

지금까지 나열한 몇 개의 감정들은 루소의 주장과 매우 유사하지만, 그것의 발생과정을 설명하는 방식이 매우 다르다. 필자가 주목하는 부분이 바로 여기이다. 연민, 분개, 경쟁심, 질투, 자비심 등은 루소에게도 등장한다. 그러나 루소는 인간의 본성에서 그러한 감정의 근원을 찾았지만, 스피노자는 이것을 타인과의 감정모방에서 찾고 있다. 그리고 이러한 스피노자의 입장은 감정들을 수동에서 능동으로 변화시켜 가는 것이 가능하다는 것을 웅변하고 있다. 그래서 이러한 감정변화에 정치가 큰 역할을 할 수 있다는 점을 시사하고 있다. 결국 에티카란 윤리라는 뜻인데, 그 의미는 인간 상호 간의 감정변화를 긍정적이고 능동적인 것으로 만들어 내는 방법을 찾는 것이 정치적 목표가 된다는 점을 가리킨다.

"각각의 수동적 감정의 힘과 성장, 그리고 그것의 존재의 지속은 우리가 존재를 지속하려고 노력하는 능력에 의해서 한정되지 않고, 우리의 능력과 비교되는 외적 원인의 힘에 의하여 한정된다."[97]

"그러나 인간은 감정에 예속되어 있으며, 이 감정은 인간의 능력 또는 덕을 훨씬 능가하기 때문에 사람들은 종종 서로 다른 방향으로 이끌리며 서로의 도움을 필요로 하는 동안에 서로 대립한다. 그러므로 사람들이 화합하여 생활하고 서로 원조할 수 있기 위해서는, 그들이 자기의 자연권을 포기하고 다른 사람에게 피해를 줄 수 있는 어떠한 것도 하지 않을 것이라고 서로를 확신시키는 것이 필요하다."[98]

첫 번째 인용문은 우리 감정의 변화가 인간 내면이 아니라 외적인 원인에서 비롯된다고 말하고 있다. 내면을 강조한 사람이 루소라고 한다면, 외면을 강조한 사람이 스피노자이다. 그렇다면 외적인 원인이란 무엇인가? 두 번째 인용문이 그 대답이다. 타인의 행동과 감정이 나에게 피해를 주지 않을 것이라는 확인은 어디서 생기는가? 그것은 사회계약이고, 법률적 강제력이다. 즉 사회구조와

97 스피노자, 『에티카』, 240쪽.

98 스피노자, 『에티카』, 266쪽.

제도가 인간의 감정을 변화시키는 요인이라는 것이다. 이것이 바로 감정을 사회적으로 유익한 것으로 유도하는 데 정치가 필요한 까닭이다. 서로를 확신시킬 수 있는 관계란 결국 사회구조로부터 유래하기 때문이다.

또 감정 자체는 외부의 사상과 관련이 있다고 스피노자는 말한다.[99] 어떤 생각과 이념을 가지는가에 따라서 사랑, 미움 등이 사라질 수 있으며, 그 감정에서 생기는 충동이나 욕망도 조절 가능해진다는 것이다. 이 말은 감정이 매우 이성적이며, 실천적인 윤리와 관련되어 있다는 뜻이다. 예를 들어 내가 불법적인 일들을 겪어 나의 감정이 증오로 순식간에 휩싸일 때 이것을 아량으로 절제하는가, 반대로 미움으로 반응하는가에 따라 내 삶의 존재가 달라진다. 나아가 이러한 반응의 경향이 사회적인 수준에서 아량으로 나타나는가, 미움으로 나타나는가에 따라 공동체의 존재 방식이 달라지는 것이다. 올바른 생활규칙을 어떻게 규정하고, 사회적 감정을 어떻게 통제하느냐에 따라, 정치공동체의 건강이 결정된다는 뜻이다. 이러한 의미에서 바람직한 정치체는 사랑의 감정이 미움의 감정을 이겨내는 사회체제를 말한다.

루소와 스피노자의 비교를 통해서 드러난 감정의 정치학을 전

99 스피노자, 『에티카』, 309쪽.

통적인 정치학의 담론에서 보면 매우 추상적인 논의로 보일 수 있을 것이다. 전통적인 정치학에서 윤리나 정의론은 법과 제도와 관련되어 있지, 감정과 연결되어 논의된 경우는 드물기 때문이다. 그렇지만 최근에 감정과 정의론을 연결한 학자가 있어, 이 자리에서 잠시 소개해볼 만하다. 누스바움의『분노와 용서: 적개심, 아량, 정의』[100]는 감정의 정치학의 현대적 해석이라고 불러볼 만하다. 여기서 누스바움은 일상에서 전개되는 불의한 일에 분노와 적개심을 가지게 되는 것은 당연한 인간의 감정이라고 설명한다. 그런데 이러한 감정을 그대로 보복이라는 수단을 통해서 표현했을 경우에는 사회적 변화가 없지만, 비-분노라는 형태의 감정이행을 거치고 나면, 새로운 형태의 감정표현이 가능하고, 이를 토대로 사회가 변화할 수 있음을 보여주고 있다.

예를 들어 성폭력을 당한 여성이 단순하게 가해자를 처벌하거나 보복하는 방식은 개인이 분노를 표출하고 억울함을 해결하는 개인적인 방법이다. 그러나 이것은 특정한 문화에서 익숙해진 감정의 표현방식이며, 법률적 정의에 해당한다. 성폭력의 피해가 다른 사람으로 확대되지 않도록 하기 위해서는 이러한 복수의 관행보다는 다른 방식이 필요하다. 즉 미래의 행복을 증진시킬 수 있는

100 누스바움, 강동혁 역,『분노와 용서: 적개심, 아량, 정의』, 뿌리와 이파리, 2018.

방법을 모색해야만 한다. 개인적인 수준에서 해결할 수 있는 보복이 인과응보의 논리에 근거하고 있다면, 사회 전체의 수준에서 행복을 달성하기 위한 방법을 찾는 태도를 "감정의 이행"이라고 누스바움은 부르고 있다.

> "따라서 다른 방식으로 분노는 규범적으로 문제적인 감정이 됩니다, 이성적 인간의 분노는 이 사실을 깨닫는 순간 스스로를 비웃고 사라져 버립니다. 이처럼 분노가 복지를 고민하는 미래지향적 생각으로, 연민 어린 희망으로 건강하게 전환되는 일을 저는 지금부터 이행이라고 부르겠습니다."[101]

이러한 감정이행의 대표적인 예로 누스바움은 마틴 루터 킹 목사를 든다. 그는 흑인들에 대한 백인의 인종차별을 부당한 것으로 규정하고 이에 대해 비판한 바 있다. 그러나 그의 지적은 분노의 감정으로 끝나는 것이 아니라, 정의가 이루어지지 못한 일종의 재정적 채무불이행으로 비유함으로써, 그의 연설을 듣고 있는 사람들로 하여금 백인들을 보복하려는 감정보다는 정의를 이행할 수 있도록 만드는 방법을 찾게 만들었다. 다시 말해 스피노자의 용어로

101 누스바움, 『분노와 용서: 적개심, 아량, 정의』, 82쪽.

설명하면 수동적인 감정에서 능동적인 감정으로 이행하도록 만들었던 것이다. 이것을 누스바움은 이행-분노[102]라는 용어로 개념화한다. 이것은 가해자에게 피해를 갚아 주겠다는 감정을 넘어서 사회의 복지에 관심을 갖도록 만든다. 또 다른 예로 간디와 만델라를 꼽을 수 있겠다. 간디의 비폭력적 저항도 적개심 대신 사회 전체의 공리를 우선하는 감정의 이행과정을 실천한 것이며, 만델라 역시 비슷한 감정정치학을 수행한 사람들이다.

그렇다고 이들이 주장한 비-분노의 태도가 실천을 배제한 채 수동적인 태도를 취하라는 뜻은 아니다. 오히려 이들이 주장한 핵심은 감정의 이행을 통해서 가해자가 협상에 응하지 않을 수 없는 전략을 실천하는 것이다. 간디는 '분노하지 말아야 한다는 것이 불의를 묵인하라는 뜻은 아니다'라고 분명히 말한 바 있다. 그들이 내세운 새로운 태도는 상대편을 모욕하거나 나쁜 일이 일어나기를 바라는 대신 그들을 우정으로 대하여 그들의 협력을 얻어 내기 위한 전략이다. 간디나 루터 킹은 분노의 근원이 내면적인 공포라는 점을 간파했고, 이 공포로부터 해방하는 것이 진정한 목표가 되어야 한다는 것을 깨달은 사람들이다. 따라서 공포로부터 벗어나 자유로운 해방을 맛보기 위한 토대는 바로 사랑이라고 할 수 있다. 이

102 누스바움, 『분노와 용서: 적개심, 아량, 정의』, 91쪽.

것이 스피노자가 말한 수동적 감정에서 능동적 감정으로의 이행이며, 사랑이야말로 정치가 달성해야 할 목표라는 주장의 진정한 의미이다.

> "간디와 킹이 정의에 대한 요구에서 무르고 감상적이기는커녕 강하고 비타협적 태도를 일컬을 때 사랑이라는 말을 사용했음을 감안하면, 이러한 태도는 사랑이라고 부를 수 있을 것입니다."[103]

103 누스바움, 『분노와 용서: 적개심, 아량, 정의』, 447쪽.

4장 | 한국사회와 루소

루소의 사상이 현대 한국정치에 주는 함의는 무엇인가? 필자는 이러한 자문에 답하기 위해서 포퓰리즘(POPLULISM)에 대한 논의를 부각시키려 한다. 포퓰리즘이라는 단어는 주로 대중영합주의라고 번역되지만, 그에 합당한 한국말을 찾기 쉽지 않다. 그러나 그 내용을 루소식으로 풀어본다면, 정치의 본질이 일반의지(VOLONTE GENERALE)가 아니라 전체의사(VOLONTE TOTAL)에 의해서 결정되고 있는 상황을 의미한다. 다시 말해 공적 의지가 아니라 당파적 의지가 한국정치를 지배한다는 뜻이다. 오늘날 한국정치의 가장 커다란 문제를 포퓰리즘이라고 규정하면서, 이것을 루소의 일반의지와 비유하는 까닭은 그 분석과 처방에 있어서 루소로 돌아가는 것이 매우 유용하다고 파악하기 때문이다.

우선 포퓰리즘의 내용에 대해서 자세히 생각해 보자. 유럽정치사에서 포퓰리즘이 가장 먼저 대두된 계기는 루이 보나파르트가 1851년 대통령 선거에서 승리한 시기였다. 당시 정치적 기반이 전무했던 루이 보나파르트는 자신이 나폴레옹 보나파르트의 조카라는 사실을 전면에 내세우며 농민계급의 전폭적인 지지를 얻게 된다. 특히 그는 좌파의 루이 블랑, 우파의 라마르크라는 당대 최고의 정치인이었던 두 후보를 압도한다. 이때 그의 정책 제안은 나폴레옹 시절의 제국을 다시 건설하겠다는 것이었다. 경제적으로 압박을 받고 있던 당시 프랑스의 국내사정을 두고 볼 때 이러한 정치적 구호는 실현 불가능한 것이었다. 그럼에도 불구하고 국내경제의 침체로부터 벗어나고, 국제적인 간섭을 이겨내기를 갈망했던 프랑스의 대다수 민중들은 루이 보나파르트를 적극 지지했고, 그를 최종적으로 대통령으로 당선시켰다. 이 상황을 두고 마르크스는 「루이 보나파르트의 브뤼메르 18일」이라는 장문의 논설에서 농민들의 정치성향을 "허위의식"이라는 개념으로 분석한 바 있다. 필자가 보기에 이것이 현대 정치사에서 처음으로 등장한 포퓰리즘의 형태이다.

이후에 현대정치에서 포퓰리즘은 정치적으로 가장 중요한 문제로 자리 잡는다. 선거를 통한 자유민주주의 체제는 바로 포퓰리즘으로 인해 왜곡되기 시작한 것이다. 예를 들어 히틀러 집권의 사례가 대표적이다. 1930년대 독일의 하층계급이 왜 히틀러에 열광했을까? 이에 대한 정치심리학적 분석으로 가장 유명한 책이 바로 에리히 프롬의 『자유로부터의 도피』이다. 이 책에 등장한 "권위주의적 인간형"이라는 개념은 당시 독일 유권자들의 심리상태를 정확히 요약하고 있는데, 이 개념이 포퓰리즘의 내용과 일맥상통한다. 당대 독일 국민의 대다수는 자신의 경제적-문화적 궁핍 상황을 해결해 줄 수 있는 초인적인 정치인을 기대하고 있었고, 그러한 정치인이 제시하는 정책들이 비록 정치를 왜곡시키는 것이라고 하더라도, 무조건 지지하는 성향을 보인다고 분석한 것이 프롬의 기본적인 문제의식이었다. 이것은 현대 정치의 포퓰리즘의 현상과 정확히 일치한다.

그 이후 포퓰리즘은 세계적으로 확산되어 왔다. 예컨대 1980년대 칠레의 피노체트 정권, 1990년대 남미의 살리나스 정권, 2000년대 프랑스의 민족전선, 2010년 이후 미국의 트럼프 정권 등이 전형적인 포퓰리즘 정치이다. 한국에서도 1970년대 박정희 정치를 포퓰리즘으로 해석하는 경우도 있다. 특히 김대중과 노무현 정권을 거치면서 한국정치에서는 포퓰리즘이라는 단어가 일상의 언어로 정착된다. 그런데 재미있는 사실은 2000년대 이후부터는 포퓰리즘이라는 단어 대신 증오(분노)의 정치라는 말이 생겨나기 시작했다는 것이다. 이것은 한국뿐만 아니라 미국정치의 특색을 설명하는 개념으로 학자들 사이에 널리 사용되기 시작했다.

국내에서 포퓰리즘은 두 가지 특징적인 현상들 동반했다.

첫째는 부정적인 의미를 갖는 국가정책을 가리키며, 주로 복지정책과 관련되어 정치적 공방을 일으켰다. 대표적인 예가 복지정책이다. 노인 기초연금에 대한 정책이 재정적인 문제로 공식적으로 폐기 혹은 수정된 경우가 있는데, 이것이 표를 얻기 위해 무리하게 추진되었다는 의미에서 포퓰리즘 정책의 전형으로 거론되고 있다. 보통 선심성 공약이라는 말을 자주 사용하는데, 이는 표를 얻기 위해서 실현 불가능한 공약을 남발했다는 의미를 가진다.

둘째는 이명박 정부 때 광우병 소를 수입하는 것에 반대하던 촛불시위가 있었고, 노무현 전 대통령의 죽음을 애도하며 전개된 격렬한 애도정치를 포퓰리즘이라고 부르기도 한다. 이러한 현상은 계급운동이나 조직적인 시위와 상관없는 감정적인 형태의 사회운동이라는 점에서 80년대의 정치운동과 결이 사뭇 다르다. 과거 집단적 저항이 주로 노동조직이나 계급적 연대를 기반으로 이루어진 반면, 2000년대 들어와서 전개된 정치적 저항은 대단히 감성적인 것과 관련되기 때문이다. 더구나 이러한 흐름은 서구의 경우와도 색깔이 많이 다르다. 왜냐하면 서구에서는 주로 극우 정당들의 극단적인 민족주의 노선들을 가리켜 포퓰리즘이라고 부르는데, 한국사회에서는 정치적 이념이나 노선보다는 감정적인 폭발력에 의해서 포퓰리즘의 시위가 발생했기 때문이다. 어쩌면 이러한 특성이 2000년대 이후로 이른바 증오의 정치가 확산된 사회적 배경이라고 할 수도 있겠다. 촛불시위는 수십만의 대중이 운집했고 한 달이 넘도록 진행된 시위였지만, 여기에는 지도부도 없었고, 조직된 이념도 없었다. 이것을 두고 새로운 형태의 '다중'이 등장한 것이라고 말하는 학자들도 있으나, 운동의 중심이 없다는 것을 지적하는 의미에서 다중이라는 개념을 사용하는 것은 적절하지 않아 보인다. 역시 포퓰리즘이라고 해석하는 것이 적절해 보인다.

이러한 두 가지 특징을 면밀히 분석해 보면, 전자가 공급자의 측면에서 비롯된 정치적 왜곡현상이라고 한다면, 후자는 수요자의 측면에서 비롯된 정치적 왜곡현상이라고 하겠다. 그런데 루소의 일반의지도 정치적 공급자의 측면과 수요 측면을 모두 포함하는 개념이기 때문에, 한국사회의 포퓰리즘도 루소의 정치철학에 기대어 문제점을 파헤치고 대안을 찾아보는 것이 가능해 보인다. 다시 말해 루소의 일반의지에서 입법자의 역할을 강조했던 2부 6장과 형이상학적인 의미에서 국민의 뜻을 강조했던 2부 7장을 대조해 본다면 오늘날 한국정치를 지배하는 포퓰리즘의 문제도 결국 입법자의 기능과 국민의 의지라는 이분법을 통해서 관찰 가능해 보인다.

일단 국민의 의지라는 2부 7장을 기본 축으로 한국정치의 문제점을 살펴보자. 위에서도 잠깐 지적했지만 이 문제는 최근 10년 사이에 분노의 정치라는 차원으로 포퓰리즘의 문제가 타락한 것으로 보여, 그 대책 마련이 더욱 시급해 보인다. 이렇게 수요 측면에서 정치적 왜곡이 심각하게 악화된 것은 결국 경제적으로 살기 어려워진 시민들이 정치에 대하여 이전보다 더 큰 불신을 가지게 된 결과이다. 즉 2000년대 이후 세계경제 위기에 따라 한국의 경제상황이 점차 악화되었고, 이것을 해결하지 못한 채 정치는 무능력의 영역으로 방치되어 왔다. 그래서 일반 국민들은 정치엘리트를 자신들의 이익만을 추구하는 집단으로 간주하고 그들에 대한 불만을 표출하기 시작했는데, 그것이 바로 분노의 정치이다.

이것은 전 세계적인 현상이다. 미국에서 트럼프가 대통령에 당선된 이유가 하위계급이 정치의 백인 편향성에 불만을 갖고 자신의 분노를 표현한 것에 있다고 해석하는 연구가 많다. 미국에서 분노정치의 다양한 사례들은 한국정치를 분석하는 데 많은 교훈을 준다. 그렇지만 한국에서는 좀 독특한 면이 있다. 예를 들어 한국정치는 선거철만 되면 "물갈이론"이 득세하고, "모두 다 갈아보세"라는 구호가 오래전부터 반복되어 나타났다. 아마도 이러한 현상은 정치에 대한 불신을 넘어서 나도 남들처럼 잘살아 보고 싶다는 열망이 왜곡된 형태로 표출되는 현상이다. 이것은 정치인들을 자신의 이권을 추구하는 몰이배 집단으로 생각하고, '그놈이 그놈'이라는 식의 정치적 절망의 표현으로 등장한다. 이것은 보수-진보를 넘어서 모든 정치영역을 가로지르는 대중심리이다. 그래서 각종 파당, 패거리, '빠'라는 형태로 정치운동이 형성되고, 상대를 향한 증오와 혐오의 언술이 정치판을 지배한다. 대표적인 예가 일베이다.

인터넷에서 우익정치모임으로 시작된 일베는 세월호 사건 당시 진상 파악을 요구하던 유족들이 단식투쟁을 하는 곳에서 '폭식투쟁'을 벌이며, 감정대결의 극단을 보여준 바 있다. 이후에 일베는 지역감정을 조장하는 댓글을 무차별 유포하는 방식으로 한국정치에서 감정정치의 왜곡을 전형적으로 보여주고 있다. 이후에 일베의 파장은 엄청났다. 적어도 이 시기 이후 한국정치는 적을 상정하지 않고서는 나의 존재감을 확인할 수 없으며, 이때부터 이념과 정책의 대립은 사라지고, 내 편과 남의 편이라는 편가르기 정치만이 난무하게 되었다. '적 만들기의 정치'가 한국정치의 전면에 등장한 지난 10여 년간, 소통과 화합은 사라지고 오로지 적을 죽이기 위한 정치만이 판을 지배하고 있다.

이것은 인터넷을 통해서 극단화되고 있다. 일단 적으로 표적이 된 인물은 개인 사생활을 파헤쳐 인신공격을 하는 것이 보통이다. 이러한 집단적 몰이를 주도하는 인물은 인터넷에서는 독자 수를 의식하면서 더욱 선동적인 기사를 올리고, 이를 통해서 여론을 주도하는 논객으로 자리 잡는다. 이른바 증오상업주의가 탄생한 것이다. 적을 만들어 인터넷의 조회 수를 올려 돈을 벌고, 논객으로서 사회적 지위도 얻고, 정치적 공론장에서 대단한 영향력을 행사할 수도 있다. 이러한 현상은 우파와 좌파를 막론하고 비슷하다. 우파에 일베가 있었다면, 좌파에 '나꼼수'가 있다.

상황이 이러다 보니 중도정치란 존립할 수 없다. '도' 아니면 '모'의 논리가 정치판을 지배할 뿐이다. 여론이란 사안에 따라 달라질 수 있으며, 정책적 비전에 따라 정당의 선호도가 바뀌는 것이 진정한 의미에서 일반의지이다. 그런데 오늘날 한국정치에서는 한번 정해진 내 편은 끝까지 내 편이어야 한다. 같은 논리로, 한번 정해진 적은 그의 이념과 정책이 어떠하던 변함없이 반대의 대상으로 남는다. 이제 정치는 없고, 조폭 간의 난투만 남은 것 같다.

두 번째로 공급자의 측면에서 한국정치의 문제를 살펴보자. 이것은 결국 누가 정치인이 되는가?, 정당정치는 제대로 작동하고 있는가? 라는 문제에 초점이 있다. 한마디로 한국의 정당은 이념정당이 아니라, 모든 것을 대변하는 정당이다. 자유민주주의 기본 이념은 계급과 신분을 구분하여 정당의 형태가 만들어지고, 여기에서 각 계급의 이해관계를 반영하는 것이 기본틀이었다. 그러나 한국사회에서는 계급의식보다는 지역주의가, 이념보다는 반공의식이 더 큰 영향력을 발휘해 왔던 까닭에 비슷한 논리와 정책이 선거때마다 매번 반복된다. 물론 이것이 한국에만 국한된 상황은 아니다.

중위 투표자 이론이라는 것이 있는데, 정당은 자신의 정책을 실현하기 위한 것이 아니라, 선거에서 승리하기 위해서 정책을 발표한다는 주장이다. 그렇지만 이러한 중위투표자 이론도 상층과 하층의 구분이 있고, 거기에서 중도를 지향하는 정당이 선거에서 보다 유리하다는 것을 함의하기 때문에, 한국에서처럼 아예 계급의식이 희박한 현실에서는 이마저도 적용하기가 어려워 보인다. 그러나 모든 것을 대표하는 정당은 어느 것도 제대로 대변할 수 없다. 따라서 일반의지가 형성될 수 없는 것이다. 그나마 희미한 형태로 계급갈등을 드러내는 것은 사회경제문제에 있어서 노동자와 재벌기업의 대립구도이다. 그러나 보수정당이 기업의 논리를 대변하는 것만큼 진보정당이 노동자의 권리를 대변한다고 생각하기 힘들다. 현재 여-야의 정당구도는 기업과 노동자의 양립 체제라기보다는 기업이익에 기대어 노동자의 복지를 개선시키려는 시장경제의 체제이다. 19세기 말에서 20세기 중엽까지 서유럽은 자유민주주의에서 사회민주주의 정치체제로 이행하면서 정치의 질적 도약을 성취한 바 있지만, 한국정치는 그러한 이행의 탄력성을 잃어버린 지 오래다. 남은 것은 오직 자유민주주의 체제에 안에서 타협의 정치를 실현하는 것만이 현실적인 대안이라 하겠다.

그렇다면 어떻게 해야 할까? 위에서 간략하게 살펴본 수요측면과 공급측면의 왜곡을 루소의 일반의지라는 개념에 기대어 바로잡을 수 있는 방법이 있을까?

첫째는 수요 측면에서는 타락한 AMOUR PROPRE를 연대의 감정으로 승화시키려 했던 루소의 문제의식이 여전히 유용한 것으로 보인다. 특히 스피노자의 해결책과 누스바움의 비-분노정치에 대하여 진지하게 생각해 볼 필요가 있다. 루소는 상상력의 변화가 개인의 감정을 분노에서 타자에 대한 연민으로 바꿀 수 있다고 말했고, 스피노자는 이성적 사고가 수동적 감정을 능동적 감정으로 변화시킨다고 주장했으며, 누스바움은 비-분노의 태도가 상대로부터 좋은 협상의 결과를 이끌어낼 수 있다고 제안한 바 있다. 루소로부터 시작된 감정정치학의 계보가 한국정치에서도 진지하게 수용될 수 있는 사회제도가 마련되기를 기대한다.

둘째는 이러한 기대감의 사회적 조건으로 지식인들의 태도를 지적하고자 한다. 특히 지식인에 대하여 각성을 요구하는 것은 정치인의 자격을 엄격하게 제한하자는 제안과 맞물리고 있는 만큼, 공급 측면에서 일반의지가 왜곡되는 것을 시정하는 방안이 될 수도 있겠다. 예를 들어 호프스태터는『미국의 반지성주의』[104]라는 책을 출판한 바 있고, 이를 근거로 최근에 등장한 트럼프 정권의 분노의 정치를 미국 반지성주의에서 비롯된 것이라고 해석한 바 있다.[105] 이러한 반지성주의 논리는 미국 대중들이 추상적 사유의

104 리처드 호프스태터, 유강은 역,『미국의 반지성주의』, 고유서가, 2017, eBOOk.

105 수전 제이코비, 박광호 역,『반지성주의 시대: 거짓 문화에 빠진 미국, 건국기에서 트럼프까지』, 오월의 봄, 2020, eBOOK.

유용성을 인정하지 못하고, 실용적인 지식을 선호한 까닭에 미국의 정치가 타락하게 되었다고 분석하고 있다. 결국 비판정신이 결여된 기능적 지식만으로 정치를 이끌어 갈 수 없다는 자기반성이라고 하겠다. 사실 토크빌이 1850년대 중반 두 번에 걸쳐 미국을 여행하면서 집필한『미국의 민주주의』에서도 이와 비슷한 분석이 등장한 바 있다. 토크빌에 따르면 미국 사람들은 역사나 철학책을 읽지 않으며, 정치인들의 연설문에도 반성적이고 비판적인 문장보다는 재미있고 단순한 일화들이 자주 등장한다고 꼬집은 바 있다. 물론 쉬운 글과 재미있는 문장들이 유권자들에게는 쉽게 이해될 수 있는 장점도 있겠지만, 정치의 본질은 쉽게 이해되는 것이 아니라, 제대로 이해되어야만 한다. 적어도 자신이 살고 있는 사회의 문제를 정확히 이해하고, 역사의 올바른 진행 방향을 알 수 있는 정치인과 시민들이 있어야 정치에서의 일반의지가 형성될 수 있는 것이다.

이러한 맥락에서 보면 한국정치도 크게 다르지 않다. 정치의 본질을 이해하지 못하는 정치인이 수두룩하고, 역사의 의미를 인지하지 못하는 정책들이 우후죽순으로 등장한다. 돈을 벌고 명예를 얻는 사람이 마지막으로 도전하는 대상이 정치가 되어 버렸다. 한국의 반지성주의는 성장에 대한 미련과 행복에 대한 착각에서 비롯되는 경우가 대부분이지만, 이것을 지적하고 바로잡아 줄 제대로 된 학자도 점차 사라지고 있다. 따라서 비판적 지식인을 키워낼 수 있는 학문 분위기를 조성하고, 철학적 기반을 갖춘 반성적 정치인을 육성하는 데 노력을 집중해야 한다. 홍알정은 바로 그런 목표로 시작된 것이다.

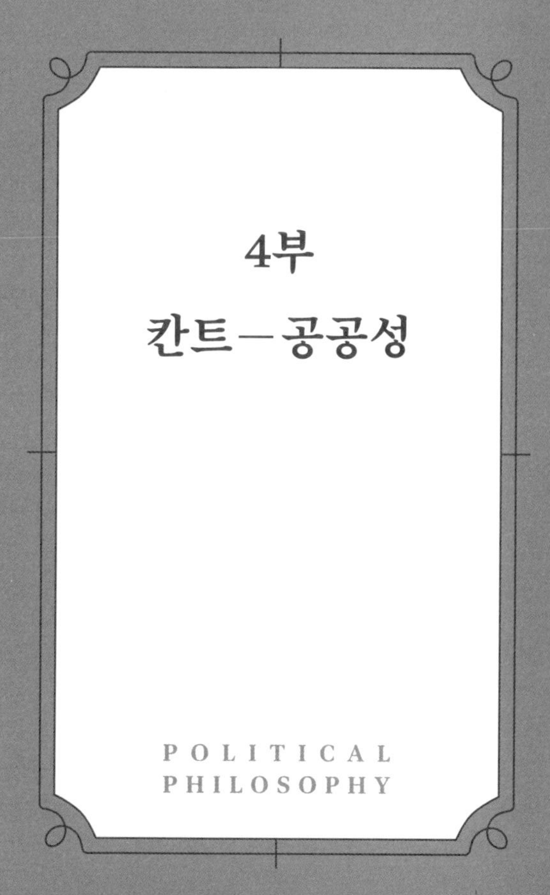

4부

칸트—공공성

POLITICAL
PHILOSOPHY

1장 | 순수이성에서 공적 이성으로

평생을 자신의 고향을 떠난 적이 없으며, 매일 같은 시간에 산책을 하던, 칸트가 단 한 번 시간을 지키지 않았다는 일화가 있다. 그때 칸트는 루소의『에밀』을 읽고 있었다고 한다. 그만큼 루소는 칸트에게 사상적으로 큰 영향을 주었고, 루소의 학문적 약점을 극복해 내는 것이 칸트의 지적 여정에 대단히 중요한 자극제가 되었다. 즉, 칸트의 사상은 루소의 일반의지의 개념을 비판하는 것으로부터 출발한다. 특히 루소가 AMOUR DE SOI와 AMOUR PROPRE를 구분하고, 이성의 역할을 평가절하한 것에 대해서 칸트는 지적으로 분개한다. 왜냐하면 이성은 자신의 이해관계를 고려하는 이기적인 것만이 아니라, 다양한 형태의 작용이 있기 때문이다. 그래서 그는 이성에 관련된 3권의 책을 집필한다. 즉『순수이성비판』,『실천이성비판』,『판단력 비판』이 그 책인데, 여기서 칸트는 이성의 작용을 3가지로 분류한다. 이것은 전혀 다른 영역에 이루어지는 이성의 사유체계를 분석한 것이다. 부연하자면, 순수이성은 진리에 대한 이성적 작용이며, 실천이성은 도덕행위에 대한 이성의 작용이며, 판단력 이성은 미적 감각에 대한 이성의 작용이다. 이러한 인식을 기반으로 인간의 이성이 문명에 의해서 타락하고, 타자를 지배하는 논리로 작용하는 것은 일시적인 현상에 불과하며, 궁극적으로 반성적 능력에 의해서 인간은 새로운 사회발전을 이룰 수 있다고 주장한다. 이것을 칸트는 "반사회적 사회성"이라고 부른다.

"자연이 인간들의 모든 소질을 계발시키기 위해 사용하는 모든 수단은, 이 항쟁이 궁극적으로 사회의 합법적인 질서의 원인이 되는 한에서, 사회 속에서의 인간들 상호 간의 항쟁이다. 내가 여기서 말하고 있는 항쟁은 인간의 반사회적인 사회성(Ungesellige Geselligkeit)을 의미한다. 즉 끊임없이 사회를 파괴하려고 위협하는 일반적인 저항들과 결합되어 있으면서도 사회를 이루고 살려는 인간의 성향을 말한다. 더욱이 소질은 분명 인간의 본성에 존재하는 것이다. 인간은 자신을 사회화하려는 경향을 갖고 있다."[106]

이 인용문은 대단히 유명한 문장이며, 칸트의 사상을 한마디로 요약하고 있는 글이다. 즉 칸트는 인간이 문명사회에서 서로 싸우는 현실을 인정한다. 그러나 이러한 싸움이 문명사회를 영원히 타락한 공동체로 내버려 둔다고 생각하지 않는다. 왜냐하면 인간의 본성 속에는 타자와 항쟁하는 동안에도 문제를 해결하고 타협할 수 있는 사회성이 내재하고 있기 때문이다. 따라서 루소의 생각처럼, 행복한 공동체를 만들기 위해서 다시 자연상태의 본성으로 돌

106 칸트, 이한구 역, "세계 시민적 관점에서 본 보편사의 이념,"『칸트의 역사철학』, 서광사, 1992, 29쪽.

아갈 필요가 없다. 오히려 사회 안에서 시작된 싸움은 인간이 나태해지려는 성향을 극복하게 만든다. 물론 명예욕, 지배욕, 소유욕과 같은 감정의 타락이 발생하지만, 이러한 감정들이 인간 재능을 계발하도록 하며, 도덕적 식별력을 키우도록 만드는 계기가 될 수 있다. 그리하여 궁극적으로 자신의 욕망과 감정을 넘어서 도덕적인 공동체를 만든다. 심지어 칸트는 문명사회에서 이루어진 문화와 기술들이 모든 반사회성의 결실이라고 말한다. 이것이야말로 자연상태의 인간을 강제로 훈련시켜 더 나은 인간으로 태어나게 만든다.

이러한 맥락에서 칸트가 말하는 자연상태는 홉스나 로크와는 차원이 다르다. 적어도 칸트에게 자연상태는 공동체가 필요하다는 것을 보여주기 위한 도덕적 전제이다. 칸트에게 인간은 기본적으로 자유의지를 가진 존재이며, 인간의 이러한 본성은 자기변형이 가능하다. 따라서 인간의 자유의지를 기반으로 도덕적 자유가 가능해지며, 여기서 새로운 시민공동체가 만들어진다. 즉 자연상태에서 문명사회로의 진입은 개별 인간들이 합법적인 사회를 만들어야 한다는 필요성을 인지하는 순간 가능해진다. 칸트적 의미에서 실천이성은 개인들이 본성상 가진 도덕의식의 발현이다. 그리고 도덕의식이 도덕법칙으로 발전되는 단계가 바로 시민사회의 단계인 것이다. 이것은 루소의 일반의지와 성격이 다르다. 왜냐하면 칸트가 보기에 일반의지는 정치결사체의 정당성을 보증하는 기준이 되기는 하나, 그 실체가 분명하지 않기 때문이다. 반면 칸트가 주장하는 자유의지와 도덕법칙의 가능성은 "내가 왜 일반의지에 복종해야 하는가?"라는 질문에 스스로 답할 수 있는 인간의 실천이성에서 찾을 수 있다. 즉 일반의지가 개인의 내면에서 발동하는 계기를 밝히고, 사회구성원이 모두 합의할 수 있는 보편적 원칙으로 발전하는 과정을 보여주는 것이 바로 칸트의『윤리형이상학』의 내용이다.

그리고 시민사회의 법질서를 유지하기 위해서는 더 높은 단계의 국가체계가 필요하다. 칸트에게 국가는 이성적 능력이 법적으로 구현된 이상국가이다. 칸트 자신이 설정한 도덕이성의 조건을 충족시킬 수 있는 정치체제는 공화정이었다. 왜냐하면 공화정이야말로 자유, 평등을 유지할 수 있는 가장 이상적인 체제이기 때문이다. 한편 국가를 구성하는 모든 계약을 원초적 계약이라고 부른다. 그 이유는 법적 권리와 강제력을 갖춘 국가만이 도덕적 정당성을 가지며, 국가만이 도덕법칙을 실현할 수 있는 의무를 가지기 때문이다. 즉 국가만이 개인의 자유와 행복을 실현할 수 있는 조건을 보증하는 원초적인 토대이다. 마지막 단계는 국가 간의 전쟁을 방지하고 평화를 유지할 수 있는 국제사회의 단계로 발전하는 것이다. 이것을 세계적 시민사회상태라고 부를 수 있겠다. 칸트가 생존할 당시에는 세계적 시민상태가 완성되지 못했지만, 그는 국제연맹의 조직을 구상하는 것이 가능하다고 예상했다. 칸트의 그러한 기대는 1930년대 윌슨 대통령에 의해서 실현된 바 있지만, 현대사회에서 민족국가를 넘어서는 세계국가가 성립할 수 있을지는 쉽게

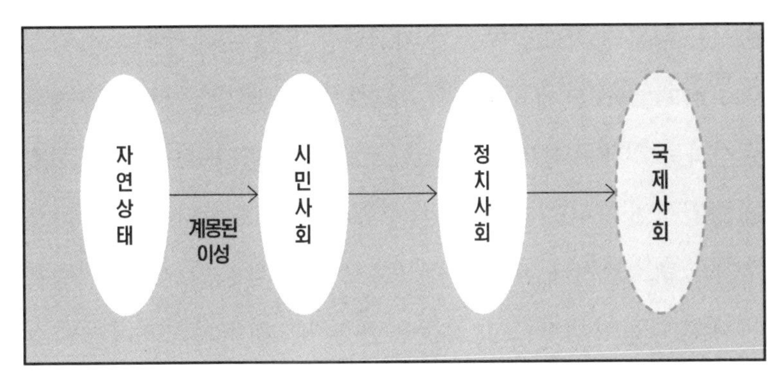

보편사의 이념

낙관하기 어렵다. 그러나 먼 훗날 세계적 보편국가가 탄생하게 된다면, 그 모든 가능성은 인간의 이성적 능력에 바탕을 둔 것이다. 따라서 역사란 인간이성의 발전의 과정이며 인류가 동일하게 거쳐야 할 보편적인 과정이라고 칸트는 강조한다.

지금까지 논의를 그림으로 나타내면 위와 같다.

위의 그림이 보여주는 단계마다 칸트는 구체적인 저작을 남기고 있다. 그 저술들을 구체적으로 보자.

첫째는 자연상태의 감정적 혼란에서 벗어나 개인의 각성이 어떻게 가능한지를 설명하는 단계이다. 기본적인 도덕법칙에 대한 논의가 시작되는 지점이다. 여기서 소위 '의지의 준칙이 보편적 입법의 원리가 되도록 행위하라'는 칸트의 주장이 처음으로 등장한다. 도덕법칙의 기초단계이다. 이와 관련하여 『실용적 관점에서 본 인간학』 3장과 『실천이성비판』 1부 3장의 '순수한 실천이성의 동기'를 집중적으로 살펴볼 것이다. 전자는 인간성에 대한 자연적 속성을 다룬 저작으로 루소가 지적했던 '문명 속에서 타락한 감정(AMOUR PROPRE)'에 해당한다. 루소는 타락한 감정에 대해 우려를 표시하는 것에 머물러 있지만, 칸트는 이러한 타락으로부터 어떻게 인간성이 다시 회복될 수 있는가를 논의하고 있다. 그것이 바로 후자의 텍스트이다. 여기서 처음으로 인간 심성 안에서 도덕법칙에 대한 자각이 발생하고, 그것을 존경하는 감정이 생겨나는 과정을 정교하게 설명하고 있다.

둘째는 시민사회에서 인간의 계몽적 각성이 작동하는 단계이다. 저작으로는 「계몽이란 무엇인가에 대한 답변」과 『학부들의 논쟁』이 있다. 전자는 당대의 지식인 사회에서 쟁점이 되고 있던 계몽에 대한 철학적 입장을 제시한 것으로, 당시 사회 분위기로 보아서는 대단히 이례적인 주장이었다. 특히 칸트에 따르면 계몽이 행위의 용기와 관련되어 있으며, 계몽의 궁극적인 목적은 사회혁명이 아니라, 일상의 잘못된 관습을 바꾸어 가는 것이다. 이러한 입장은 계몽에 대한 획기적인 전환을 의미한다. 여기서 칸트는 시민사회에서 작동해야 할 목적적 도덕법칙을 제시한 셈이다. 즉 타인을 인격적 목적으로 대하라는 행위준칙을 제시하면서, 나와 다른 생각을 가진 타인의 입장을 이해하기 위해서는 자유로운 토론장이 보장되어야 한다고 주장한다. 이를 통해서 시민사회에서 윤리공동체가 성립하기 위한 기본전제를 마련한다.

셋째는 정치사회 또는 국가의 필요성을 설명하는 것으로 『윤리형이상학』 1부 '법이론'과 『영원한 평화』가 있다. 이 단계에서 칸트는 공동체를 구성하기 위한 도덕원칙을 제시한다. 칸트에게 인간의 자유란 궁극적으로 입법에 참여함으로써 실현된다. 이것은 '너 자신의 준칙이 보편적인 입법자인 것처럼 행동하라'는 도덕법칙의 마지막 단계에 해당한다. 따라서 시민사회에서 목적론적 도덕법칙이 덕의 이론에 해당한다면, 세 번째 단계는 법의 이론이며 이것은 국가론에 해당한다. 즉 행위준칙이 법적 효과를 지니기 위해서는 국가가 존재해야만 하는 것이다. 『윤리형이상학』 1부는 법이론으로서 사회계약을 통해서 성립되는 국가의 형태와 목표에 대하여 다루고 있으며, 『영원한 평화』는 국제사회가 성립하기 위해서 개별 국가들이 어떠한 정치체를 유지해야 하는지를 설명하고 있다.

1절 | 감정의 타락에서 도덕철학으로

『실용적 관점에서 본 인간학』[107]에서 칸트는 생리학적 관점과 실용적인 관점을 비교한다. 전자가 자연과 인간의 관계에 초점을 두었다면, 후자는 인간이 자유롭게 행위하는 자로서 자신에 대해서 무엇을 하고 있으며, 무엇을 할 수 있으며, 또한 무엇을 해야 하

107 칸트, 이남원 역, 『실용적 관점에서 본 인간학』, 울산대학교 출판부, 1998.

는가라는 것을 탐구한다.[108] 현대학문의 언어로 분류하자면, 전자가 생리학에 가깝다면, 후자는 철학적 인간학에 가깝다. 그리고 여기에 덧붙여 세계 시민으로서 인간에 대한 지식을 포함하는 것이 실용적이라고 설명한다. 이러한 맥락에서 보면 실용적이라는 단어는 윤리적인 의미를 포함하는 것으로 볼 수 있다.

그런데 루소의 인간론과 관련지어 읽게 되면 『실용적 관점에서 본 인간학』에서 1부 3장이 가장 눈에 들어온다. 이 장의 제목은 "욕구 능력에 관하여"인데, 여기에는 인간의 감정변화와 감정의 타락이라는 루소의 문제의식이 보다 정교하게 설명되고 있기 때문이다. 그런데 이 대목에서 칸트는 욕정과 정동을 다른 것으로 설명하고 있다.

정동

1. 급속한 감정의 변화.
2. 주관 안에 반성을 낳지 않은 감정.
3. 마음의 침착을 잃게 하는 감각에 의한 기습.
4. 마음의 성급함.
5. 반성을 불가능하게 하는 감정.

108 칸트, "서론," 『실용적 관점에서 본 인간학』.

6. 잠들면 술에 취해 있는 것 같다.
7. 몸의 발작과 같이 불의에 엄습.
8. 현명한 사람은 정동에다 몸을 두지 않는다. 여기에서 무감동은 도덕적 원칙이 된다.
9. 무사려 한 것이기 때문에 자기 자신의 목적을 추구하는 일을 스스로 불가능하게 한다.
10. 반성의 결여.
11. 자유와 자제를 순간적으로 훼손.
12. 대표적인 정동으로는 쾌/불쾌, 즐거움/슬픔, 경악/경이, 분노/불안, 용기/ 대담/비겁 등이 있다.
13. 약간의 정동은 자연의 손에서 기계적으로 촉진된다. 우는 것/웃는 것이 여기에 속한다.

욕정

1. 주관의 이성에 의해서 전혀 제어할 수 없는 경향성.
2. 시간을 허용하고, 아무리 격렬하다 하더라도 자신의 목적에 도달하기 위해 반성적인 감정.
3. 스스로 깊게 간직한 표상을 계속 생각하는 망상.
4. 어떤 욕망이 그 대상의 표상에 선행해서 성립하는 주관적 가능성의 성벽.
5. 주관에서 규칙(습관)의 역할을 하는 감정적 욕망은 경향성이라고 불린다.

6. 어떤 선택에 관하여 경향성을 모든 경향성의 총계와 비교하려고 하는 이성을 방해하는 것.
7. 가장 냉정한 반성과도 결합하기 때문에 정동처럼 무분별하지 않다.
8. 일시적이 아니다.
9. 이치에 맞는 경우도 있다. 주관의 이성과 항상 연결되어 있다.
10. 자유를 가장 크게 훼손시킨다.
11. 욕정은 병이다. 욕정은 개선조차 거절하는 마법이다.
12. 순수 실천이성에서는 암이며, 불치병이다.
13. 불행한 마음의 기분이며, 예외 없이 나쁘다.
14. 욕망이 덕에 속하는 것이라도, 그것이 욕정이 되자마자 실용적으로 해가 되며, 도덕적으로 배척해야 하는 것이다.
15. 자유와 자제를 단념하고 자신의 쾌와 만족을 노예적인 근성 안에서 발견한다.
16. 자연적(생득적) 경향성과 인간의 문화로 나온(획득적) 경향성의 두 가지가 있다.
17. 자연적 경향성에는 자유의 경향성과 성의 경향성이다. 이것은 정동과도 연결된다.
18. 획득적 경향성에는 명예욕, 지배욕, 소유욕이며 이것은 목적을 겨냥하는 준칙의 완고함과 연결되어 있다.
19. 자연적 경향성은 뜨거운 욕정이며, 획득적 경향성은 차가운 욕정이다.

위의 설명들을 면밀히 살펴보면, 정동은 주관적인 감정의 변화이지만 상황에 따라서 타인과의 관계를 전제로 감정표현이 다르게 해석된다. 예를 들면 사람 좋은 웃음은 사교적으로 보이지만, 비웃는 웃음은 적대적인 경우가 있다. 그런데 욕정은 이성과 관련된 것이며, 자유의 개념에 기초해 있다. 따라서 욕정은 자유와 충돌하는 것이다. 특히 획득적 욕정은 사회 속에서 타자와의 관계에서 성립한다. 이렇게 두고 보면 욕정이라는 개념은 루소가 지적했던 문명 속의 amour propre와 유사하다. 그런데 칸트는 획득적 욕정에 명예욕, 지배욕, 소유욕을 거론한다. 이것은 명예, 권력, 금전이라는 대상을 전제로 한다. 그리고 이것은 이성의 관점에서 보면 인간적인 약점이다.

> "명예욕은 이 약점을 가지는 사람들이 자신들의 의견을 통해서 영향을 받게 될 수 있는, 지배욕은 그들의 공포를 통해서, 또한 소유욕은 그들 자신의 이해를 통해서, 영향을 받게 될 수 있는 그런 인간의 약점이다."[109]

위의 논의를 종합해 보면 결국 정동이란 인간의 감각적 욕구이

109 칸트, 『실용적 관점에서 본 인간학』, 216쪽.

며, 이것은 일시적인 현상으로 인간의 자연적 모습이다. 그러나 욕정이란 인간의 사회적 현상이다. 그리고 이것은 이성과 관련되어 있으며, 지속적이고 비-도덕적인 현상이다. 그런데 칸트는 이러한 욕정을 도덕적으로 바로 잡는 것이 필요하며, 또 가능하다고 생각한다. 왜냐하면 커다란 범주에서 인간의 욕정이란 자유와 관련되어 있기 때문이다. 즉 욕구란 이성의 외관을 가지고 있다.

"이러한 욕정은 명예욕, 지배욕, 소유욕이다. 이것들은 직접적으로 목적과 관계가 있는 모든 경향성을 만족시키기 위한, 수단의 소유에 관계하는 경향성이기 때문에, 이성의 외관을 가지고 있다. 즉 자유- 이 자유에 의해서만 목적 일반이 달성될 수 있는 그런 자유와 결합되어 있는 능력에 대한 이념을 추구하는 것이다."[110]

획득적 욕정을 도덕적인 차원에서 바로잡을 수 있는 원칙은 무엇일까? 어떻게 욕정으로부터 벗어나서 자유로울 수 있을까? 필자가 보기에 그 대답은『실천이성비판』1부 3장에 나타나 있다. 이 장의 제목은 '순수한 실천이성의 동기'인데, 여기서는 어떻게 인간의 감정 속에서 도덕원칙이 자리를 잡고, 하나의 보편적 법칙으로 작

110 칸트,『실용적 관점에서 본 인간학』, 214쪽.

동하는가를 잘 보여준다. 칸트 자신이 번호를 붙여가며 실천이성의 동기가 발전되어 가는 과정을 서술하고 있으니, 필자도 같은 방식으로 번호를 매겨가며 칸트의 생각을 알기 쉽게 정리해 보려고 한다.

1.-1. 동기가 한 존재자의 의지를 주관적으로 결정하는 근거라는 뜻이라면
1-2. 인간 의지의 행위란 것이 법칙의 정신을 포함함이 없이 단지 법칙의 글자만을 메꾸어 있는 것이 아니라면
1-3. 법칙(자신)을 위해서 생긴 것이 아닌 '모든 합법칙적인 행위'에 대해서, 그 행위는 오직 글자 상으로 봐서 도덕적인 선이로되, 정신상(심정적)으로 봐서는 도덕적인 선이 아니라고, 우리는 말할 수 있다.

2-1. 그러므로 우리에게 남아 있는 일은 어떻게 도덕법이 동기가 되는가
2-2. 그렇게 됨으로써 〈도덕법의 규정근거〉의 영향을 받은 것으로서의 〈인간의 욕망능력〉이 어떻게 되는가 하는 것
2-3. 이 두 가지를 주의해서 규정하는 것이다.
2-4. 따라서 도덕법이 무엇에 유래해서 단독으로 동기력을 주는가 하는 근거를 지시해야 하는 것이 아니라, 그것이 이런 것인 한에서 동기가 심성에 무엇을 낳는가(좀 더 자세히 말하

면, 낳지 않을 수 없는가) 하는 것을 우리는 선천적으로 지시해야 하겠다.

3-1. 도덕법을 통한 의지의 모든 규정에서 본질적인 것은, 의지가 자유의지로서 오직 법칙에 의해서만 규정된다는 것이다.
3-2. 즉 그것은 의지의 규정근거로서 도덕법이 우리의 애착을 방해함에 의해서, 그 자신의 하나의 감정을, 즉 고통이라고 불릴 수 있는 하나의 감정을 산출해야 한다는 것이다.
3-3. 모든 애착은 죄다 아욕의 내용이다. 아욕은 사애 즉 자기 자신에 대한 극도의 호의에 관한 것이거나, 혹은 자기 자신에 대한 만족에 관한 것이다. 전자를 특히 자기애라고 하고, 후자를 자만이라고 한다.
3-4. 순수한 실천이성은 자기애를 오직 끊어 버릴 뿐이다. 자기애는 자연적이요, 도덕법에 앞서서 심중에 날뛰고 있는 것이며, 순수한 실천이성은 이러한 자기애를 도덕법에 일차적 조건으로 제한하기에 말이다.
3-5. 도덕법은 그 자신 어떤 적극적(긍정적)인 것이다.
3-6. 지성적인 원인성의 형식, 즉 자유의 형식이다.
3-7. 그것은 우리 심중의 주관적인 반항 즉, 애착에 대항하여, 자부를 약화함에 의해서, 동시에 존경의 대상이 된다.
3-8. 경험에 근거하지 않은, 선천적으로 인식되는, 하나의 적극적 감정의 근원이 된다.

4-1. 준칙들의 보편적 법칙 수립에 적합하는 데에 존립하는 순 실천적 형식이 자체선 또 절대적으로 선인 것을 최초로 규정하며, 순수한 의지의 준칙을 확립한다는 것이었다.

4-2. 순수한 의지만이 모든 점에서 선인 것이다.

4-3. 도덕법은 필연적으로 보든 사람을 겸허하게 한다.

4-4. 도덕법은 주관적으로 존경의 근거이다.

5-1. 애착에게 촉발된 이성적 주체가 가지는 감정은, 확실히 겸허-지적인 멸시-를 말하는 것이지만, 겸허의 적극적인 근거 즉 도덕법칙에 관해서 말한다면, 동시에 법칙에 대한 존경을 의미한다.

5-2. 〈겸허와 존경의〉 두 근거에서 도덕적 감정이라고 이를 수 있다.

6-1. 도덕성을 노리는 아무런 감정도 주체 안에서 선행하지 않는다. 이런 일은 실로 불가능하다. 모든 감정이 감성적이요, 도덕적 심정의 동기는 모든 감성적 제약에서 반드시 자유이니 말이다.

6-2. 이리하여 〈법칙에 대한 존경〉은 도덕성에 대한 동기가 아니라, 주관적으로 동기라고 고찰된 도덕성 자체이다.

7-1. 도덕적 감정이라고 불리는 이 감정은 그러므로 오로시 이

성이 산출한 것이다.

8-1. 존경은 항상 인격들을 향해 서 있고, 결코 사물을 향해서 있지는 않다.

8-2. 폰토넬은 귀인 앞에서 나는 몸을 굽히되, 나의 정신을 굽히지 않는다고 말했다. 이 말에 나는 다음과 같이 보탠다. "내가 나 자신에 관해서 의식하는 것보다도 높은 정도에서 그 품성이 방정한 것을 내가 지각하는, 하위의 평범한 시민 앞에, 나의 정신은 굴한다."

8-3. 내가 굴하고 싶어 하든 안 하든 간에, 또 나의 고위를 그가 봐넘기지 않도록 내 머리를 아무리 높이 쳐들든 간에, 무슨 까닭으로?

8-4. 그의 모범을 나의 거동과 비교할 때에, 나의 자부를 쳐부수는 한 법칙을 내 앞에 제시하게 말이다.

8-5. 뿐더러 나는 법칙을 준수함이, 따라서 법칙을 실행할 수 있음이 사실로써 증명된 것을 눈앞에서 보고 있다.

9-1. 존경은 쾌감이 아니기에, 사람은 어떠한 인간에 관해서 심리상 불복이면서도 존경을 바친다.

10-1. 도덕법에 대한 존경이, 유일하고도 동시에 의심할 수 없는 도덕적 동기이다.

10-2. 도덕법칙이 감정에 미치는 작용은 굴복뿐이다.

10-3. 도덕법에의 존경은 도덕법이 감정에 미치는 적극적이되 간접적인 결과로 보아야 하고, 따라서 활동의 주관적 근거로 보여져야 하며, 다시 말하면 도덕법 준수의 동기로, 또 도덕법에 적용하는 품행이 가지는 준칙의 근거로 보여져야 한다.

10-4. 동기의 개념에서 관심이 생긴다.

10-5. 준칙의 개념도 관심의 개념에 기본해 있다. 이러하매 준칙은 그것이 오직 관심 그것에 의존할 때에만 도덕적으로 진정한 관심이다.

10-6. 동기, 관심, 준칙의 세 개념은 죄다 유한한 존재자에게만 적용될 수 있다.

11-1. 존경감은 단지 실천적인 것에만 관계하고, (...) 오직 형식상으로 법칙의 관념에 속해 있는 감정이다.

12-1. 의지가 도덕법칙에 자유로 복종한다는 의식은 법칙에 대한 존경이다.

12-2. 행위가 이 법칙에 쫓아서 애착에서의 모든 규정근거를 배척하면서 객관적으로 실천적일(의지를 규정할) 때에, 그러한 행위를 의무라고 말한다.

1과 2에 제시된 서술들은 도덕법칙의 목표를 분명하게 보여준다. 즉 인간의 욕망으로부터 도덕원칙이 성립하며, 여기에 어떠한 동기가 작동하여 도덕법이 형성되는가를 밝히는 것이 목표라고 분명히 밝히고 있다. 즉 인간 내면의 감정변화가 이루어지는 동기와 과정을 설명해야 한다는 것이다.

3-3의 자기애나 자만에 대한 설명은 분명 루소를 염두에 두고 서술한 것으로 보인다. 그리고 3-5에서 3-8까지 설명은 칸트의 도덕에 대한 기본 입장을 잘 보여주고 있다. 도덕법은 적극적인 감정이며, 자유의 형식이며, 선천적 감정에 해당한다고 설명한다. 그리고 이러한 감정의 변화는 존경의 대상이라고 말하고 있다. 이것이 무슨 뜻인가? 이 부분이 제일 중요하다.

4-2에 이르면 선천적 감정이라는 말 대신에 순수한 의지라는 단어가 등장한다. 큰 차이는 없어 보인다. 그런데 4-3이 좀 이례적인 표현이다. 모든 사람을 겸허하게 만드는 것은 무슨 뜻인가? 사람들의 내면적인 감정변화를 이끌어낸다는 뜻인가? 그리고 다시 4-4에서 도덕법이 존경의 대상이 된다고 적고 있다. 겸허한 마음이 먼저 생기고 그 다음에 존경하는 마음이 생긴다는 뜻인가?

5-2에서는 경험과 존경이 도덕적 감정의 구성요인이라고 밝히고 있다.

6-1에서는 도덕감정이 자유에서 유래하며, 6-2에서는 법칙에 대한 존경 자체가 도덕성 자체라고 말한다. 이런 논리에서 보면 존경이 도덕성이다.

7-1에서 이성이 도덕 감정을 산출했다는 말은 위에서 등장한 순수의지, 선천적 감정이라는 개념과 일맥상통한다. 즉 경험되기 전에 인간의 마음속에 이미 내재하고 있는 의지에 의해서 도덕감정이 만들어진다는 뜻이다. 그렇다면 의문이 남는다. 도대체 겸허와 존경은 어떻게 가능한가? 이것이 8에서 설명된다.

8-2에서 도덕감정은 사람들 사이에서 등장하는 감정임을 분명히 한다. 이것은 루소가 말한 인간관계의 감정을 의미한다. 그런데 칸트가 인용한 폰토넬의 말은 무슨 뜻인가? 8-2에서 하인 앞에서 나의 정신이 굴한다고 말한다. 왜? 하인의 행동에서 도덕적인 우월성을 인지하게 되었고, 나의 신분이 비록 높지만 하인의 행동이 나의 거만함을 깨닫고 반성하게 만들었다는 것이다. 8-3과 8-4에서는 이것은 내가 원하든 원하지 않든, 자연스럽게 나의 내면에서 생겨나는 감정이라고 설명한다. 이러한 감정이 태동하는 것을 내가 억누를 수 없다. 8-5에서 보면, 이것은 하나의 법칙과도 같은 것이다. 9-1에서는 도덕법칙이 쾌락이 아니기에, 행위에 품위를 지키는 것은 나에게 유익한 것을 주기 때문에 하는 것이 아니라는 점을 밝히고 있다. 즉 내게 이익을 주기 때문에 도덕적 행동을 하는 것이 아니다.

10에서는 지금까지의 논의를 정리한다. 도덕법칙이 나의 감정을 굴복시킨다고 말한 것은 나의 내면에서 감정변화가 일어난다는 뜻이다. 즉 자기애와 자만에 가득 차 있던 내가 타인의 도덕적 행동을 보면서 나의 감정에 변화가 생겨, 자만의 감정을 쳐부수고, 나의 행동에도 변화를 주고 싶은 관심이 생긴다. 이렇게 두고 보면 감정 변화는 관심을 거쳐 행동의 변화로 이어지는 것이다. 그래서 10-6에서는 동기, 관심, 준칙을 병렬적인 것으로 나열하고 있다.

11에서 도덕법칙이 실천에만 관계한다는 것은 내면적인 감정 안에 머물지 않고 행동에 직접 영향을 준다는 뜻이다. 따라서 12-2에서 설명하는 행위의 의무라는 단어가 그 의미를 분명히 보여준다. 도덕감정은 실천적으로 외면적 행동에 영향을 주는 준칙이며, 따라서 이러한 준칙에 따라서 행동하는 것이 바로 행위의 의무라고 본 것이다.

위의 논의를 정리해 보자

칸트가 보기에 자기애와 자만의 감정은 인간의 자연적 속성으로 누구나 내면적으로 가지고 있는 감정이다. 그런데 타인의 행동을 통해서 자신의 감정이 잘못된 것임을 인지하게 된다. 이 과정에서 감정의 갈등이 생기겠지만, 인간의 내면에는 선한 의지가 존재하기 때문에, 인간의 감정은 자신의 행동을 올바르게 하려고 노력한다. 이것이 일종의 동기부여이며, 관심이다. 즉 외부적으로, 사회 속에서, 타인과의 관계 속에서, 인간행동을 지켜보면서 도덕적 행동이 무엇인지를 스스로 깨닫고, 스스로의 자유의지에 의해서, 선한 행동을 할 수 있는 능력이 이성의 각성을 통해서 부여된다. 그리고 일련의 행동은 도덕법칙에 대한 존경이라는 감정으로 승화되어, 애초에 가지고 있던 자기애와 자만심은 사라지고, 도덕적 행동을 지속적으로 해야 한다는 의무감이 태동한다는 것이다.[111] 이러한 칸트의 관점은 완전히 루소와 대조를 이룬다. 왜냐하면 루소는 문명사회에서 인간의 감정이 타락하여 정치공동체가 지배와 피지배의 권력관계를 벗어날 수 없다고 생각했던 반면, 칸트는 도덕성이 인간의 선한 의지를 통해서 발현된다고 생각했기 때문이다. 칸트의 도덕성은 타인의 행동에 대한 평가가 내면적으로 승화될 수 있는 능력을 지녔기 때문에 가능한 것이다. 이것을 칸트는 실천이성이라고 불렀다.[112]

111 이러한 칸트의 입장이 롤즈의 『사회정의론』에 그대로 반영된다. 롤즈는 "공정으로서의 정의에 대한 칸트적 해석"이라는 절에서 자신의 정의론이 칸트의 해석에 근거하고 있다는 점을 분명히 밝히고 있다. 그는 다음과 같이 말한다. "나는 칸트가 도덕법칙에 따라 행위하지 못하게 되면 죄책감이 아니라 수치심이 생긴다는 말을 했다고 생각한다. 그리고 이 말이 타당한 까닭은 그에게 있어서는 정의롭지 못하게 행위하는 것이란 자유롭고 평등한 합리적 존재로서의 우리의 본성을 표현하지 못하고 행위하는 것이기 때문이다." 롤즈, 황경식 역, 『사회정의론』, 이학사 2016, 545쪽.

112 타인 행동에 대한 평가는 객관적인 대상에 대한 평가인 반면, 내면에서 쾌락을 추구하는 감정이 변화되어 타인을 존경하게 되는 것은 주관적인 감정변화이다. 객관적인 대상이 주관적 감정의 변화로 전회되는 과정, 그리고 감정의 변화가 도덕적 법칙에 대한 존경으로 변화되는 과정을,

2절 | 이성의 공적 사용과 자유로운 토론

「계몽이란 무엇인가에 대한 답변」은 1784년 12월에 『베를린 월간 학보』에 게재된 논문이다. 1783년부터 1796년까지 '계몽의 벗들'이라는 지식인들이 중심이 되어 매월 회원들의 자택에서 비공개 토론 모임을 가졌는데, 그때 발표된 글들을 이 잡지에 게재해 온 것이다. 이것들 중 하나가 바로 칸트의 「계몽이란 무엇인가에 대한 답변」이다. 이 당시 모임에 참가했던 사람들의 면모를 잠시 살펴보면, 재무부장관, 법학자, 의사, 출판가, 신학자, 왕립극장장이 있었다. 이들은 당대 독일사회의 정책과 여론을 이끌어 가던 사람들이었다.[113] 그리고 당시 계몽이란 개념은 시대를 이끌어 가는 핵심

칸트는 "절취(subreption)의 오류"라고 부른다. 이러한 절취의 오류는 우리 안의 이성이 타자의 행동을 존경할 만한 대상으로 경탄하는 감정으로부터 유래하는 것임으로 감정과 이성의 혼돈에 해당한다. 그러나 이것은 도덕법칙을 존경하는 것으로 귀결되기에 숭고한 오류라고 하겠다. 절취에 대한 개념은 내면적 자유의지가 사적인 쾌락을 이겨내고 보편적인 도덕성을 획득하는 과정을 설명하는 과정을 설명하는 데 대단히 중요하다. 그러나 내용이 너무 복잡하고 어려워서 이 정도의 설명에서 그치려 한다. 이 정도면 무슨 말인지 대충 이해할 수 있지 않는가? 철학이 꼭 난해하고 어려울 이유는 없다.

113 칸트 외 지음, 임홍배 역, 『계몽이란 무엇인가』, 도서출판 길, 2022.

단어였다. 이때 대부분의 지식인들은 대중들의 무지몽매를 일깨우는 것이 계몽이며, 이를 위해서는 언론과 출판의 자유가 중요하다고 생각했다. 다만 프랑스대혁명의 경우에서 보듯이 계몽의 정신이 사회혁명에 직접적으로 관련이 있는가라는 쟁점에는 매우 첨예한 대립이 있었다.

그런데 칸트는 자신의 글에서 계몽에 대한 새로운 입장을 제시한다. 즉 무지몽매함을 깨우치는 것이 아니라, 용기를 가지고 행동하는 것이 중요하다고 강조한 것이다. 그리고 언론의 자유가 필요한 것은 이성을 공적으로 사용하기 위해서이며, 계몽의 정신은 혁명보다는 일상생활의 잘못된 관습을 바로잡는 것이라고 주장한다. 이것은 당대의 지식인 사회에서는 대단히 충격적인 발언이었다. 우선 칸트가 규정하고 있는 계몽에 대하여 잠시 인용해 보자.

> "계몽이란 우리가 마땅히 스스로 책임져야 할 미성년 상태로부터 벗어나는 것이다. 미성년 상태란 다른 사람의 지도 없이는 자신의 지성을 사용할 수 없는 상태이다. 이 미성년 상태의 책임을 마땅히 스스로 져야 하는 것은, 이 미성년의 원인이 지성의 결핍에 있는 것이 아니라 다른 사람의 지도 없이도 지성을 사용할 수 있는 결단과 용기의 결핍에 있을 경우이다. 그러므로 과감히 알려고 하라(Sapere aude)!, 너 자신의 지성을 사용할 용기를 가져라! 하는 것이 계몽의

표어이다."[114]

이것은 칸트의 계몽을 설명할 때 가장 자주 인용되는 문장이다. 그리고 여기서 지성의 결핍과 용기가 대립되고 있음을 강조해야 한다. 이러한 대조는 당대 지식인 사회의 통념과 완전히 대립되기 때문이다. 이후의 문장에서 칸트는 미성년 상태에서 벗어나기 어려운 이유를 두 가지로 들고 있다. 첫째는 인간이 이 상태를 좋아하기 때문이고, 둘째는 법령이나 형식물들이 미성년 상태를 억압하는 족쇄[115]로 작동하기 때문이다. 전자는 인간의 본성을 지적한 것이다. 자연적 속성으로 동물적인 감각들이 대표적인 예이다. 쉽게 말해 사람들은 보통 게으르고, 남들이 대신 나를 위해서 일해 주기를 바라며, 합리적으로 생각하고 따지기보다는 남들이 하는 대로 따라하기를 바란다. 이것이 인간의 동물적인 속성이다. 이것을 극복하는 방법은 개인적 각성이고 도덕법칙에 대한 존경심이다. 『실천이성비판』 1부 3장이 여기에 해당한다. 그렇다면 후자는 무슨 뜻인가? 법령이나 형식물이 인간의 재능을 합리적으로 사용하지 못하게 만드는 족쇄라고 말하면서, 칸트는 후견인의 폐단을 다음 문

114 칸트 지음, 이한구 역, "계몽이란 무엇인가에 대한 답변," 『칸트의 역사철학』, 서광사, 1992, 13쪽.

115 칸트 지음, "계몽이란 무엇인가에 대한 답변," 『칸트의 역사철학』, 14쪽.

장에서 지적한다. 대표적인 예가 교회 목회자의 역할이다. 사람들이 교회에 나가 목회자가 하는 말대로 일상생활을 영위하는 것이 잘못된 관습이라는 것이다. 그래서 칸트는 당시 교회의 기능이 잘못되었음을 지적하는 글을 발표했고, 이 글 때문에 황제로부터 직접 경고장을 받기도 했다.[116] 또 다른 예로 대학의 역할에 대해서 논하고 있다. 이 글은『학부들의 논쟁』이라는 제목으로 단행본으로 출간되었고, 한국어로 번역되었다. 여기서는 당대 국가권력이 대학의 운영에 간섭하는 것을 비판하면서 대학의 본질은 자유로운 토론에 있다는 점을 밝히고 있다.

『학부들의 논쟁』은 지식인의 역할과 관련하여 계몽이 무엇인지를 잘 보여주는 텍스트이다. 이 책은 당시 개편을 요구받았던 대학의 체제에 대하여 비판적 입장을 밝히고 있는 3편의 논문을 모아놓은 것이다. 그 중에서 1편 '신학부와 철학부의 논쟁'을 집중적으로 살펴보자. 여기서 칸트의 생각을 한마디로 요약하면, 대학의 학문과 강의체계는 정부의 간섭으로부터 자유로워야 한다는 것이다. 여기서 대학의 실무자들이 학문의 경계와 내용을 결정하는 관행에

116 칸트가 당시 종교의 폐단에 대해서 발표한 논문의 제목은「순전한 이성의 한계들 안에서의 종교」인데, 이것은 한국어로 번역되지 않았다. 다만『학부들의 논쟁』의 서문에서 이 논문을 직접 거론하면서 칸트는 자신의 글을 탄압하는 황제의 경고장이 부당하다는 입장을 분명히 밝히고 있다.

대해서 신랄하게 비판하고 있다. 더구나 칸트는 성직자들, 사법공무원, 의사들은 대중에게 큰 영향을 미칠 수 있는 사람들인데, 만일 정부가 이들의 학문적 활동에 지나치게 간섭하게 되면 정부의 입장만을 전달하게 되는 폐단을 낳게 된다고 경고한다. 당시의 상황이 그렇게 전개되고 있는 터라, 칸트는 이들을 정부의 도구들이라고 칭하면서 신랄하게 비판하고 있다. 또 신학, 법학, 의학과 같이 정부의 관심을 끄는 학부만을 상위학부로 간주하고, 철학과를 하위 학부로 취급하는 것은 이성의 공적 사용을 방해하는 폐단이라고 단정한다.

> "학자 공동존재를 위해 단연코 대학에는 자신의 교설들과 관련하여 명령을 내리지는 않지만 모든 것을 판정하도록 정부의 명령으로부터 독립하여, 학문적 관심, 즉 이성이 공적으로 말할 권리를 지녀야만 하는 진리에 관계하는 자유를 가지는 또 하나의 학부가 있어야만 한다. (...) 이성은 자신의 본성상 자유롭고 어떤 무엇을 참으로 간주하는 (믿어라credo가 아니라, 단지 하나의 자유로운 믿음crdo[나는 믿는 다일 뿐인) 명령을 수락하지 않기 때문이다."[117]

117 칸트, 오진석 역, 『학부들의 논쟁』, 도서출판 b, 2012, 29쪽.

위의 인용문에 이성의 공적 사용이라는 단어가 처음으로 등장한다. 계몽이 무엇인가라는 질문에 칸트는 이성의 공적 사용이라고 말하고 있는데, 구체적인 내용으로 대학에서 학문하는 지식인들의 상황을 거론하고 있다. 여기서 중요한 점은 대학의 강의 내용에 국가권력이 직접 개입해서는 안 된다는 것이다. 오로지 자유로운 판단에서 지식인은 강의 내용을 결정하고, 그것을 받아들이는 학생들도 역시 자신만의 자유로운 판단에 근거하여 수강할 수 있어야 한다. 이것이 이성의 공적 사용이며, 이러한 맥락에서 철학부는 자유로운 이성의 사용을 촉진하는 중요한 학과이기에, 하위 학부로 취급되거나 폐과되어서는 안 된다. 이러한 맥락에서 대학의 실무자들은 이성을 사적으로 사용하는 자들이며, 이때 사적 사용이란 국가권력의 뜻대로 움직인다는 뜻을 의미한다. 따라서 만일 철학부의 기능이 없다면, 대학의 실무자들은 국가권력이 원하는 지식만을 전달하려고 할 것이며, 이것은 지식을 통해서 대중을 지배하려는 권력의 왜곡된 형태이다. 이것은 시민공동체에도 대단히 중요한 지식의 기능이다. 대학이 자유로울 수 있을 때 시민공동체도 비로소 자유를 누릴 수 있기 때문이다. 이러한 맥락에서 칸트는 계몽이 실현될 수 있는 계기는 바로 이성이 공적으로 사용되는 순간이며, 이를 위해서는 오직 자유가 필요하다고 말한다. 이러한 맥락에서 이성의 공적 사용과 관련하여 자유란 인식의 자유, 토론의 자유를 의미하는 것이다.

"이런 계몽을 위해서는 자유 이외의 다른 어떤 것도 필요하지 않다. 그리고 그것은 자유라고 이름할 수 있는 것 중에서도 가장 해가 없는 자유, 즉 모든 국면에서 그의 이성을 공적으로 사용할 수 있는 자유이다. (...) 내가 말하는 이성의 공적인 사용이란 어떤 사람이 한 사람의 학자로서 독자 대중 앞에서 이성을 사용하는 경우이다. 반면에 이성의 사적인 사용은 그에게 맡겨진 어떤 시민적 지위나 공직에서 이성을 사용하는 경우를 가리킨다."[118]

위의 인용문은 『학부들의 논쟁』에서 대학의 실무자들과 대립되는 학자들의 위상을 정확하게 요약해 주고 있다. 그람시의 용어로 표현하면 전자가 전통적 지식인이라고 한다면, 후자는 유기적 지식인에 해당한다고 볼 수 있겠다.[119] 그래서 칸트는 시민이 정부의 명령에 순종해야 하는 경우와 따지고 비판해야 할 경우를 나누어 설명하고 있다. 예를 들어 시민은 부과된 조세의 납부를 거부할 수는 없지만, 그러나 지식인이 과세의 부당함에 대해서 논의하고 비판하는 것은 시민의 의무를 위반하는 것이 아니다. 동일한 논리에 따라 교회에서 신도들은 교리에 따라야 하지만, 지식인이 종교제

118 칸트, "계몽이란 무엇인가에 대한 답변," 『칸트의 역사철학』, 15-16쪽.

119 그람시의 지식인 분류에 대해서는 홍알정 1권 『정치를 보는 3가지 관점』의 3부 4장을 참고하라.

도의 문제점을 지적하고 개선책을 제안하는 것은 교리를 위반하는 것이 아니다. 왜냐하면 국민들 전체가 후견인(공무원, 성직자)들에게 무조건 복종하는 것은 미성숙한 상태에 있는 것이기 때문이다. 칸트가 보기에 당대에 종교적인 폐단이 가장 심각한 문제였기 종교적 미성숙에 대해서 비판을 많이 했지만, 계몽의 정신은 궁극적으로 입법에까지 국민들의 이성이 공적으로 사용할 수 있도록 조건을 마련해야 한다고 주장한다. 이렇게 함으로써 국가 전체가 자유사상을 바탕으로 성숙한 단계로 진입할 수 있다.

이러한 계몽의 정신을 가장 잘 계승하고 있는 현대의 정치철학자가 바로 하버마스이다. 그의 저작『공론장의 구조변동』[120]은 칸트의 계몽에 대한 철학적 입장을 현대정치에 적절하게 접목한 대작으로, 칸트의 현대적 의미를 음미하기 위해서 반드시 일독해야만 한다. 아래에서 칸트의 계몽 개념을 염두에 두면서 하버마스의 문제의식을 간략하게 정리해 보도록 하자.

이 책에서는 2장이 가장 중요하다. 여기서 하버마스는 공론장이라는 개념을 제시한다. 그는 이성의 척도와 법의 형식을 통해 권력이 공중을 지배하려고 한 역사를 추적하는 데 가장 적합한 개념이 바로 부르주아 공론장이라고 밝히고 있다. 17세기를 전후로 부

120 하버마스, 한승완 역,『공론장의 구조변동』, 나남출판사, 2001.

르주아 계급을 기반으로 공적인 것/사적인 것(프라이버시)의 영역이 구분되기 시작했으며, 이것을 통해서 가족의 구조가 변화하고, 경제적 구조가 자본주의로 진화해 갔으며, 시민사회와 국가권력이 분리되기 시작했다. 다시 말해 사적 개인은 프라이버시라는 형태를 통해서 자기 자신을 개발시켜가면서 자율적 주체로 탄생하게 되었고, 공론장에서는 교양을 갖춘 지성인들의 자유로운 토론이 가능해졌으며, 경제적인 영역에서는 문화가 상품화되어 문화재 시장이 형성되기 시작했고, 국가권력은 전문적인 행정가와 궁정귀족으로 분리되기 시작했다. 이것이야말로 자유주의 정치의 핵심적인 체계이다. 그렇다면 어떤 계기로 부르주아 계급에서 공론장이 시작된 것일까?

하버마스에 따르면 17세기 프랑스에서 시작된 살롱이 바로 공론장의 기원이다. 당시 전쟁으로 남편으로 잃고 거액의 유산을 상속받은 프랑스 파리의 귀족 부인들은 자신의 저택에 철학자와 예술가들을 초청하여 인문학 강의를 듣기 시작한다. 처음에는 몇몇 귀족들의 사교모임으로 시작되었지만, 곧 문화인들의 모임으로 성장하였고, 살롱 회원이 되지 않고서는 사교를 할 수 없는 지경에 이르렀다. 17세기 말에 파리에는 수백 개의 살롱이 생겨났다고 한다. 이때 공적인(le public)이라는 말은 예술의 수취인, 소비자, 비평가로서의 독자, 관람객, 방청인이라는 뜻으로 사용되었다, 그러다가 나중에는 극장에 앉아 있는 소수의 부르주아 상류층을 의미하는 것으로 의미가 변화되었다. 이러한 맥락에서 공론장의 시작은 인문학적 공론장이었다. 그렇다면 어떤 의미에서 인문학이 공론장의 출발이 될 수 있었을까? 하버마스는 그것을 3가지 요인으로 정리한다.

첫째는 지위 전체를 도외시하는 일종의 사회적 교제 모임이었다. 즉 신분의 격차를 모두 배격했고, 나아가 경제적 격차도 무시한 채 모든 사람이 동등한 자격으로 토론에 참여할 수 있었다. 둘째는 공중의 토론은 이제까지 의문시되지 않았던 영역의 주제화를 전제한다. 다시 말해 새로운 주제나 대상을 두고 마음껏 토론할 수 있었다는 것이다. 예를 들어 당시 교회가 미술이나 음악에 대해서 평가의 기준을 제공해 왔던 것에 반해, 살롱에 모인 사람들은 교회가 이단시하는 미술이나 음악을 자유롭게 즐기며 평가할 수 있었다. 셋째는 이때 토론의 대상이 된 주제들은 문화적 상품의 형태로 인정받게 되었다. 즉 살롱에서 토론하는 미술이나 음악 그리고 소설들은 시장에서 상품으로 팔릴 수 있는 상품으로 취급받은 것이다.[121]

이러한 프랑스의 살롱은 영국에서는 커피하우스로, 독일에서는 독서모임으로, 형태를 달리하면서 태동하였다. 그러나 이러한 사적인 모임은 점차 공적인 연주단체로 발전하여 입장료를 받고

121 하버마스, 『공론장의 구조변동』, 107-109쪽.

연주를 행하는 형식으로 발전한다. 이러한 과정에서 음악과 미술은 교회와 국가로부터 독립하여 예술 그 자체를 위한 행위가 가능해졌다. 그리고 애호가 공중들은 일정한 재산과 교양을 갖추면 입장이 허용되기에 이르러, 예술이 신분으로부터도 해방되었다. 한편 인문학적 공론장의 발전은 프라이버시 영역을 동시에 발전시켰다. 이제 가족의 사생활 영역이 하나의 문화적 공간으로 인정을 받게 되고, 여기서 개인들은 독서와 일기를 쓰는 것을 통해서 자신을 인문학적 주체로 성장시켜 나간다. 이러한 인문학적 훈련은 개인들이 인문학의 공론장에 나가 자신의 의견을 발휘할 수 있는 기초 훈련에 해당한다. 그리고 이것이 바로 17세기 공론장의 구조이며, 18세기 자유주의 정치의 기반이 된다.

> "독서클럽, 독서회, 도서 예약, 도서관이 우후죽순처럼 생겨나고, 1750년 이후에 영국에서와 같이 일간지와 잡지의 판매가 1분기에 두 배로 증가하는 시기에 소설 읽기는 부르주아 계층에 하나의 습관이 되었다. 이들을 통해 공중이 형성되는데, 이들은 커피하우스, 살롱, 만찬회와 같은 초기의 제도들로부터 성장해서 신문과 신문의 전문적 비판의 중계망을 통해 결속된 공중이다."[122]

122 하버마스, 『공론장의 구조변동』, 126-127쪽.

18세기 자유주의 정치의 공론장에 대한 논의는 주로 3장에서 논의된다. 하버마스에 따르면 영국, 프랑스, 독일에서 각각 서로 다른 역사적 맥락에서 인문학의 공론장이 정치적 공론장으로 발전하게 된다. 우선 영국에서는 신문의 발전이 눈에 띈다. 특히 신문에 사설란이 생기면서 토론과 비판의 대상이 의회에 전개되는 정책과정과 행정부로 초점을 바꾸게 된다. 이제 공중의 토론은 미술이나 음악에서 정치적 쟁점으로 대상을 변화시켰다. 영국에서 신문의 발전이 가장 먼저 이루어진 계기에는 사전 검열제도가 폐지되었기 때문이다. 그 이전에 신문은 문서 비방죄법과 같은 수많은 제약에 통제를 받아 왔는데, 17세기 말 검열제도가 사라지게 되면서 언론의 수가 급격하게 늘어났고, 정치적 역할도 크게 확장되었다. 그리하여 공공의 목소리, 국민의 일반적 함성, 공공정신이라는 기준이 생겨나기 시작했다. 이것이 여론이라는 형식의 기초라고 할 수 있다.

프랑스에서는 국가 예산을 공시하는 방법으로 공론장의 형태가 마련되었다. 대혁명 이전의 네케라는 재무장관은 처음으로 국가 예산과 결산을 공시하였는데, 이것이 공중이 정치적 쟁점에 대해서 감시를 한 최초의 사건이다. 네케의 보고서 이후 공적 사안에 대해서 공중들은 진정서라는 형식을 통해서 자신의 의견을 개진하게 된다. 1791년의 헌법은 11조에서 공공성을 규정하면서 "사상과 의견의 자유로운 전달은 인간의 가장 귀중한 권리이다"라고 적고 있고, 1791년 헌법은 자유로운 집회와 자유로운 의견 표현의 권리를 보호하고 있다.

독일에서는 교양인이라는 기준으로 부르주아 계급을 정의 내린다. 그래서 독일의 부르주아들은 학자, 성직자, 관료, 의사, 법률가, 교사들과 같이 대학교육을 받은 사람들을 지칭한다. 그리고 이들이 독서회를 결성하면서 인문학적 공론장을 만들게 된다. 1770년대 이후 독서모임이 소도시까지 확산되기 시작하면서, 여기서 정치적 제도와 사회적 관습에 대해서 토론하고 가치 부여를 하기에 이른다. 아마도 칸트가「계몽이란 무엇인가에 대한 답변」을 발표하고 잡지에 실었던 모임도 전형적인 지식인 독서모임이라고 할 수 있겠다. 이러한 토론은 결국 개인적 의견을 교환하고 궁극적으로는 공공적이라고 불리는 여론을 형성하는 것이 목표가 된다. 그래서 독서모임 이후에는 수많은 잡지들이 탄생한다. 독서모임에서 토론한 내용을 잡지를 통해서 발표하면서 하나의 여론이 자리를 잡은 것이다.

하버마스의 결론은 이러한 인문학적-정치적 공론장의 발전이 18세기 자유주의 정치가 성공하게 된 기초라는 것이다. 그런데 19세기가 되면서 공론장이 구조변동을 겪는다. 다시 말해 프라이버시 영역에서 개인들이 인문학적 주체로서 훈련하지 않게 되고, 자신의 사적인 욕구만을 원하게 되면서, 자율적인 주체라는 이상형은 무너지게 된다. 그 이유는 사회변화에서 비롯된다. 복지국가의 등장으로 개인의 경제적 혜택을 국가가 책임지는 제도가 확대되면서, 개별주체들이 정책에 대해서 감시하고 비판하기보다는 이익을 더 많이 확보하고자 하는 사적 욕망이 득세하게 된 것이 주된 이유이다. 즉 공적인 인간이 사라진 것이다. 또 정치적 공론장도 타락하는데, 주된 이유는 언론의 독점과 관련되어 있다. 거대기업이 등장하면서 언론사를 자본으로 지배하고, 신문이나 방송이 정치에 대해서 중립적인 보도를 하거나 비판할 수 없는 상황에 이르면서, 건전한 공중과 여론은 불가능해진 것이다.

이러한 현상을 두고 하버마스는 '체계에 의한 생활세계의 재식민화'라고 부른다. 중세시대에 교회가 일상의 관습과 가치관을 지배했던 것과 같이 19세기에는 자본이 일상을 지배하게 된 상황을 지칭하는 개념이다. 이러한 지배상황에서 벗어나는 길은 무엇인가? 하버마스는 이성의 공적 사용에 있다고 믿는다. 자본주의로 왜곡된 정치적 공론장을 바로잡고, 사적인 욕망에 길들여진 개인들을 공적인 인간으로 바로 세울 수 있는 방법은, 인간의 실천이성에 있다고 생각하는 것이다. 이러한 맥락에서 하버마스는 칸트의 계몽주의를 계승한 현대 학자이다. 그리고 이런 점에서 푸코와 하버마스가 대립한다. 왜냐하면 하버마스는 칸트의 계몽만으로는 현대사회가 맞이한 사회문제를 해결할 수 없다고 믿기 때문이다. 또 푸코에 따르면 칸트의 계몽은 인간의 실천이성에 대한 믿음에 근거하기보다는 미래를 살아갈 수 있는 삶의 개척 능력에 있다고 새롭게 해석한다. 이것이 바로 하버마스와 푸코의 대립으로 유명한 근대성에 대한 논쟁이다. 이 부분은 다음 장에서 더 자세히 살펴보자.

3절 | 시민사회에서 이성국가로

시민사회에서 타자와 공존할 수 있는 방법은 두 가지이다. 하나는 개인의 내면적 이성의 각성에 따라 행동의 준칙을 마련하는 것이다. 즉 욕구와 감정의 폭발을 스스로 제어하고, 타인에 대한 존중을 하나의 원칙으로 삼아, 이것을 실천하는 것이 시민사회에 질서를 유지하는 토대가 된다. 이것을 결집한 것이 칸트의 '덕론'이다. 칸트의 『윤리형이상학』은 덕과 법의 두 가지 영역으로 구분되는데, 덕론은 바로 인간이 내면적으로 가지고 있는 실천이성의 영역이다. 그런데 내면적 준칙이 타인으로부터 침해받는다면 어떻게 되나? 이러한 침해로부터 개인을 보호하고, 침해에 대한 사후적 조치를 실행할 수 있는 지배력이 필요하다. 이것이 바로 국가를 만들게 되는 이유이다. 그리고 국가론의 시작은 바로 법의 제정과 관련된다. 그래서 칸트는 시민사회를 유지시키는 개인의 내면적 원칙을 도덕적 법칙이라고 부르고, 개인의 외면적인 행위와 그것에 대한 합법칙성을 존중하는 것을 법학적 법칙이라고 부른다. 다시 말해 법적 상태란 인간 각자가 자신의 권리를 나누어 갖는 인간 상호관계를 말한다.[123] 그리고 국민계몽이란 국가에 대한 국민의 의

123 칸트, 백종현 역, 『윤리형이상학』, 아카넷, 2015, 255쪽.

무와 권리를 공개적으로 가르치는 것이다. 이러한 일을 할 수 있는 사람들은 법률이론가들이나 철학자들이다.

> "인간의 자연적 권리와 조화하는 정치체제의 이념은 그 법에 복종하는 사람들을 결합시키는 것 이외에도 입법적인 것이어야 하는데, 이것은 모든 국가의 기초가 된다."[124]

물론 법학적 법칙은 사법과 공법으로 나뉜다. 전자는 주로 소유권, 취득권, 대인권 등에 관련한 것이고, 후자는 국가법과 국제법에 해당한다. 그런데 사법의 영역이 침해당했을 때 그것을 원상복구하고, 개인의 권리를 보호하는 권력은 공법에 해당한다. 따라서 사법은 엄밀한 의미에서 자연상태를 완전히 벗어나지 못한 것이다. 왜냐하면 개인 각자가 옳다고 생각하고, 그러한 준칙에 맞도록 행동하더라도, 공권과 법률이 없는 상태에서는 폭력 앞에 무기력하게 침해를 받을 수 있기 때문이다. 이것은 내면적 법칙을 넘어서 모든 개인들에게 부과될 수 있는 외적 강제를 만들고 이에 복종하도록 만들어야 필요가 있다는 것이다.

124 칸트, 이한구 역, "다시 제기된 문제; 인류는 더 나은 상태를 향해," 『칸트의 역사철학』, 서광사, 1992, 129쪽.

"그럼에도 권리의 다툼이 있었을 때, 법적으로 효력 있는 판결을 내릴 자격이 있는 재판관이 없는 곳에서 그것은 무법의 상태이다. 이제 이를 벗어나 법적인 상태에 들어갈 것을 각자가 타인들에게 강제로 채근해도 좋은 것이다."[125]

여기서부터 국가의 필요성이 생겨난다. 칸트에 따르면 국가란 다수 인간들의 통일체이다. 이것은 개인들의 내면적 이성의 원칙을 외면적으로 강제한다는 의미에서 이념의 국가라고 말할 수 있다. 그리고 그 국가 안에는 세 개의 인격이 존재한다. 주인권(주권), 집행권, 재판권이 그것이다. 이러한 세 가지 권력은 오로지 근원적 계약에 의해서만 성립할 수 있다. 사회계약이 아니라 근원적 계약이라고 표현한 것은 칸트가 보기에 계약이란 선험적으로 주어진 전제여야 하기 때문이다. 근원적 계약을 통해서 개인들은 자신의 선한 의지를 실천할 수 있는 법적 보장을 받게 되며, 따라서 자신의 공적 이성을 타인에게 전달하고 보장받을 수 있는 자유를 누리게 된다. 따라서 근원적 계약은 개인들을 국가의 시민으로 탄생하게 만드는 유일한 절차이다.

이러한 논리 전개를 인정한다면 시민이 국가권력에 저항하는

125 칸트, 『윤리형이상학』, 264쪽.

혁명은 용납되지 않는다. 왜냐하면 법을 만들고 국가를 탄생시킨 장본인이 바로 개별 시민들이기 때문에, 자신이 태어난 이념의 근원을 스스로 부정한다는 것은 논리적으로 모순되기 때문이다. 그래서 칸트는 집행권에 대한 개혁만을 인정할 뿐, 입법권에 대해서는 개혁이나 혁명을 용납하지 않는다. 한편 정치체는 공화정이 되어야 한다. 국민의 이름으로, 모든 국민 시민들의 의지에 합치되어, 국가권력을 운영하기 위해서는 공화정이 가장 적합하다. 또 자신을 대표하는 대표자를 선출하는 것이 공화정을 유지하는 가장 효율적인 방법이다. 그런 의미에서 대의제 공화정이 가장 이상적인 국가체제이다.

근원적인 계약이 국가를 탄생시켰다면, 똑같은 논리에 의해서 국제연맹을 만들어 낼 수도 있다. 서로 이웃해 있는 국가들이 서로 다툼을 벌일 때 이것을 중재하거나 강제력을 행사할 수 있도록 국가보다 상위의 결합체를 근원적 계약을 통해서 만들 수 있다. 그리고 여기서부터 만들어진 법을 "국가들 상호 간의 법" 또는 "민족들의 법"이라고 부를 수 있다. 나아가 평화를 유지하기 위한 국가들의 연합을 "상설 제국회의"라고도 부를 수 있다.

> "제 국민의 자연상태는 개별 인간들의 자연상태와 마찬가지로 법적 상태로 들어서기 위해 응당 벗어나야 할 상태이다. 그러기에 이러한 일이 일어나기 전의 제 국민의 모든 권리와 국가들이 전쟁을 통해 취득하거나 보존할 수 있는 모든 외적인 나의 것과 너의 것은 순

전혀 잠정적인 것이며, 오직 보편적인 국가연합에서만 확정적인 것으로 인정되고 참된 평화가 될 수 있다."[126]

국가연합이 완전해지면 모든 시민들이 준수할 수 있는 보편적인 법이 제정되어야 할 것인데, 이를 세계시민법이라고 부를 수 있다. 그런데 과연 세계시민법이 지켜지는 국가연합이 가능하겠는가? 적어도 칸트가 살았던 당대는 이러한 수준까지 이르지는 못했다. 그러므로 칸트는 현실적인 대안으로 모든 국가가 공화국의 형태를 지속하면서 평화를 유지하는 방안을 모색한다. 공화국의 체제에서는 적어도 시민들의 자유정신이 발휘되고 있는 까닭에 타국을 침략하는 시도가 최소화된다고 생각했기 때문이다.

"각 국가에서 시민적 (헌정)체제는 공화적이어야 한다. 첫째로 (인간으로서) 사회 구성원의 자유의 원리들에 따라서, 둘째로 (신민으로서) 만인의 유일한 공동의 법칙 수립에 대한 의존성의 원칙들에 따라서, 그리고 셋째로 (국가 시민으로서) 그들의 평등의 법칙에 따라서 세워진 (헌정)체제는 근원적 계약의 이념에서 나오고, 한 국민의 모든 법적인 법칙 수립이 그에 기초해 있을 수밖에 없는 유일한 체

126 칸트, 『윤리형이상학』, 318쪽.

제는- 공화적 체제이다."[127]

공화정의 체제에서는 모든 대외정책이 개인들의 의사를 대표하는 정치인에 의해서 결정되기 때문에 군주정보다 평화로운 정책이 나올 가능성이 높다. 또 공화정은 도덕 정치가들이 더 많이 생겨날 수 있는 체제이다. 왜냐하면 공화정은 투표를 통해 입법 의지를 모으는 결사체인 만큼 사람들의 자유로운 토론을 통해서 도덕성이 높은 사람들이 대표자로 선출될 확률이 높기 때문이다. 또 공화정에서는 법률의 제정과정이 투명하게 공개되는 것이 원칙이기 때문에 공법의 모든 내용이 다른 국가에게도 미리 공지되는 것이 일반적이다. 이렇게 되면 적대적인 행위를 하는 것을 사전에 미리 예감하여 준비할 수 있기 때문에, 국가 간의 충돌이 그만큼 줄어들게 된다.

127 칸트, 백종현 역, 『영원한 평화』, 아카넷, 2013, 115쪽.

2장 | 푸코 대 하버마스: 칸트에 대한 두 가지 해석

칸트의 계몽에 대한 개념을 둘러싸고 1980년대 서유럽의 학계에서는 대단히 큰 논쟁이 있었다. 이른바 포스트모더니즘의 논쟁이다. 여기에 푸코와 하버마스의 입장 차이는 대단히 중요한 철학적 토대가 된다. 즉 푸코는 칸트가 강조했던 인간의 이성 능력에 의문을 제시하고, 역사가 단일한 발전과정을 거쳐 진보한다는 생각을 비판한다. 그래서 오늘날의 현대사회에서 일어나는 수많은 사회적 문제를 해결하기 위해서는 칸트의 기획을 넘어서는 새로운 철학적 사유가 필요하게 되었으니, 그것을 한마디로 포스트모더니즘이라고 부른다. 반면 하버마스는 현대사회의 병리적 현상을 해결해 나갈 수 있는 원동력은 역시 인간의 실천이성과 소통적 능력에 있다고 생각하고, 칸트의 계몽이 여전히 현재의 시점에서도 유용한 철학적 기획이라고 파악한다. 이러한 두 사람의 대립은 지난 30년 동안 서구의 철학적 흐름을 대변하는 중요한 학문적 차이이며, 각각 새로운 학문적 업적을 이루어왔다. 따라서 칸트의 정치철학을 다루는 이 장에서 잠시 푸코와 하버마스의 철학적 관점을 정리하는 것은 매우 중요한 작업이 될 것이다.

우선 푸코의 칸트 해석을 살펴보자. 푸코가 남긴 글은 두 논문이 중요한데, 첫째는 「비판이란 무엇인가?」이고, 둘째는 「계몽이란 무엇인가?」이다. 전자는 1978년 소르본 대학에서 행한 강연을 글로 녹취한 것인데, 이글은 한국어 번역이 되어 있다.[128] 반면 후자는 프랑스 잡지에 기고한 소논문인데, 그의 유고집『말한 것과 글 쓴 것』의 4권에 실렸지만, 이것은 아직 한국어로 번역되지 않았다.[129] 그래서 일단「비판이란 무엇인가?」를 통해서 푸코의 입장을 살펴보고,「계몽이란 무엇인가?」는 간접적으로 내용을 정리해 볼까 한다.[130]

「비판이란 무엇인가?」에서 푸코는 비판적 태도가 무엇인가 설명하면서 논의를 시작한다. 그의 주장은 "어떻게 통치받지 않을 것인가"라는 물음이 16세기 이후 유럽에 등장했는가를 알아야 한다는 것이며, 그 내용은 3가지 정도로 요약할 수 있다. 첫째는 영적 통치에 대한 저항이었다. 이것은 성직자의 권위를 거절하고, 성서로 회귀하는 방식으로 등장했다. 그리고 여기서 성서가 말하는 진

128 푸코, 오트르망 역,『비판이란 무엇인가』, 동녘, 2020,

129 Foucault, "Qu'est-ce que les lumieres?", Dits et Ecrits IV, Gallimard, 1994, p. 564.

130 오생근 교수의 저서『미셸 푸코와 현대성』, 나남. 2013은 푸코의 계몽에 대한 논의를 깊이 있게 다루고 있으며, 번역되지 않는 논문을 인용하면서 한국어로 번역한 부분이 있다. 그래서 오생근 교수가 인용한 불어 논문을 재인용하는 방식으로 푸코의 입장을 살펴보려고 한다. 내가 간접적으로 정리하겠다는 뜻이 바로 이런 방법을 가리킨다.

실은 어떠한 종류인가를 묻기 시작했다. 즉 비판은 역사적으로 성서해석과 관련된다. 둘째는 법들의 남용을 거부하는 것이었다. 따라서 이 내용은 통치자가 준수해야 할 보편적 원리들을 강조하는 것이었다. 즉 통치권의 한계를 논의하는 것이 중요한 대상이었다. 따라서 여기에서 비판은 본질적으로 사법적인 것이었다. 셋째는 진리에 대한 것으로, 권위적으로 진실을 강요하는 것을 거부하고, 자기 스스로가 진실이라고 받아들일 수 있을 때에만 진실로 수용하겠다는 태도가 있었다. 여기에서 비판이란 권위에 맞선 확신이었다.[131] 결론적으로 비판이란 권력이 생산하는 진실 담론을 문제 삼을 수 있는 주체의 활동이며, 진실을 둘러싼 정치에서 탈예속화를 본질적인 기능으로 하는 활동이다. 그런데 푸코가 보기에 칸트의 계몽이 이러한 비판의 개념과 크게 다르지 않다.

"그것은 칸트가 비판에 대해 내린 정의가 아니라 다른 무엇에 대해 내렸던 정의와 크게 다르지 않은 것 같습니다. 사실 칸트는 특이하게도, 계몽이 무엇인지에 관한 1784년 텍스트에서, 인류가 거기에 머물러 있고, 또 머물도록 강제당하는 어떤 미성숙 상태와 연관시켜 계몽을 정의했습니다. 둘째로 그는 이 미성숙을, 인류가 봉착해 있는 어떤 무능력한 상태, 타인의 인도 없이는 자신의 오성을 사용

131 푸코, 『비판이란 무엇인가』, 45-47쪽.

할 수 있는 능력이 결여된 상태로 정의하고 특징지었으며, 역사적으로 잘 정의된 종교적 의미를 지니는 인도하다라는 용어를 사용합니다. 셋째로 칸트가 이러한 무능력을 인류를 미성숙 상태에 머무르게 만드는 권위와 맺는 어떤 상호관계를 통해 정의했다는 것 즉, 한편으로는 권위의 과잉과 무능력이 맺는 상호관계를 통해서 그리고 다른 한편으론 결단력 및 용기의 결여와 무능력이 맺는 상호관계를 통해 정의했다는 것도 특기할 만합니다."[132]

한마디로 요약하면, 칸트의 계몽에 대한 생각은 푸코가 비판이라는 개념에서 말하고자 하는 바와 거의 같은 것인데, 그 대상은 바로 지식에 대한 비판의식에 있다. 그런데 여기에서 푸코는 칸트의 인식론적 공백을 지적하고 그것을 보충하려 한다. 즉 칸트의 계몽에는 지식에 대한 비판이 작동하는 역사적 원동력에 대한 논의가 빠졌다는 것이다. 푸코는 다음과 같이 세 가지 역사적 사실을 제시한다. 첫째는 실증과학의 성립이다. 즉 새로운 학문이 발전하여 지식에 대한 검증을 요구하기 시작한 것이다. 둘째는 국가체제의 발전이다. 이것은 사회의 합리화를 이끌어 가는 강력한 주체가 나타난 것이다. 셋째는 국가에 관한 학문 즉 국가주의가 탄생한 것이

132 푸코, 『비판이란 무엇인가』, 48-49쪽.

다. 이러한 역사적 배경을 염두에 두고 계몽의 개념을 다시 해석하면, 그것은 권력의 남용과 통치화에 대한 책임을 묻는 것이라고 할 수 있다. 그리고 이러한 문제의식을 오늘날에 적용시켜 본다면 계몽이란 진실의 권력에 예속된 나를 다시 질문하여, 나는 누구인가?를 질문하는 것이다. 보다 구체적으로는 권력-지식-주체들 사이의 연관관계를 파악하는 것이라고 하겠다. 이것은 인식의 정당성을 질문하는 것이 아니다. 바로 이러한 철학적 입장이 하버마스의 입장이다. 오히려 푸코에게는 인식은 어떠한 지배와 관련되어 있는가를 질문하는 것이며, 우리의 현실태가 무엇인가를 알려고 하는 태도이다. 여기서 한발 더 나아가면 우리의 존재방식을 어떻게 바꾸어 지식이 지배로부터 벗어날 수 있는지를 고민하는 태도이다.

"칸트가 말하는 출구는 과정인가 의무인가? 만일 출구가 의무라면 인간은 어떻게 행동해야 하는가? 이성을 올바르게 사용한다는 것은 무엇인가? 결국 이러한 문제들이 푸코로 하여금 '나는 누구인가'라는 인식론적 문제보다 '나는 무엇을 어떻게 하고 있는가', '나를 어떤 모습으로 창조해야 하는가'와 같은 실천적 문제가 훨씬 중요한 것을 역설하는 계기를 갖게 한다. 그런데 우리가 여기서 주목하고 싶은 것은, 이성의 사적 사용과 공적 사용을 구별 지은 칸트의 방법에서, 푸코가 공적인 이성의 사용을 자신의 '실존미학' 개념과 연결 짓는다는 것이다."[133]

오생근 교수의 인용문에서 공적이성을 실존미학과 연결짓는다라는 말은 무슨 뜻인가? 이 말은 결국 지배로부터 벗어날 수 있는 방법을 실존미학에서 찾는다는 것이다. 그럼 실존미학이란 무엇인가? 푸코는 현재성의 문제를 가장 먼저 제기한 사람으로 보들레르를 꼽는다. 푸코에 따르면 보들레르는 현재의 문제를 해결하기 위해서 낡은 관습에 젖어 있는 동시대의 화가를 비판하고, 현재의 풍경을 전혀 새로운 방식으로 묘사하기 시작했다. 다시 말해 생각하고, 느끼는 방식을 전혀 다르게 실천한 것이다. 이러한 맥락에서 현재성이란 과거와 단절하고 미래를 전망하기 위해서 새로운 태도를 창조하는 것이다. 여기에 두려움과 불안보다는 용기가 더 절실하다. 그래서 보들레르가 보여 준 댄디이즘은 인식의 문제가 아니라 실천의 문제이다, 즉 댄디이즘이란 유행을 따르지 않고, 고행을 감수하며, 새로운 감정과 열정으로 자신의 삶을 예술작품으로 표현하는 의지를 가리킨다. 칸트의 계몽이 넘어서지 못한 것이 바로 이것이다.

결국 푸코가 보들레르를 통해서 강조한 것은 현재에 대한 관계

133 오생근, 『미셸 푸코와 현대성』, 186-187쪽. 강조는 필자.

혹은 자기 자신에 대한 관계를 바꾸어 가는 것이 비판의 핵심 문제이며, 이것은 권력-진실-주체의 삼각 축에서 새로운 주체 형성의 문제를 해결해 가는 과정이다. 말년에 푸코가 출판했던 『성의 역사』 2권과 3권, 4권은 그리스 시대, 로마 시대, 기독교 시대에 특징적으로 나타나는 자기 실존(배려)의 과정을 설명하고 있다. 그런데 이 저작들이 궁극적으로 지향하는 것은 현재의 오늘을 살아가는 우리들이 어떻게 자율적인 주체가 될 수 있는가를 제시하려는 것이다.

이러한 푸코의 입장을 하버마스는 반대한다. 우선 보들레르의 댄디이즘을 비판한다. 하버마스에 따르면 댄디이즘은 삶의 허무함을 표현하면서 기존의 예술방식에 대해 비판을 하지만, 이것만으로는 인간의 본성에 도움을 주지 못한다. 조금 더 심하게 표현하여, 댄디는 덧없는 것과 유행적인 것을 통해 사람들을 놀라게 하는 즐거움일 뿐이다.[134] 그저 그뿐이다. 물론 그 찰나적 즐거움에서 새로운 것이 나오기는 한다. 그러나 기존의 정당성을 파괴하고 남는 순간 즐거움이 무슨 소용이 있는가? 그래서 하버마스는 여기서 벤야민의 예술이론을 끌어들인다. 벤야민은 예술을 역사적 관계로 환원시키고 거기서 '지금-이 순간'이라는 질문을 다시 던지고 있

134 하버마스, 이진우 역, 『현대성의 철학적 담론』, 문예출판사, 1995, 29쪽.

기 때문이다. 보들레르의 '지금 이 순간'이 벤야민의 '지금-이 순간'으로 바뀐 것이다. 전자에 비해 후자는 역사의 의미를 되묻고 있다는 점에서 반성적이며, 미래의 방향을 고민한다는 점에서 철학적이다. 물론 지금-이 순간도 시간이 지나면 현대성이라는 이름으로 비판의 대상이 되겠지만, 철학적 성찰은 바로 과거의 표본들로부터 자신의 규범성을 만들어 내야 할 의무가 있다.

주체의 역사에 대해서도 하버마스는 헤겔에 기대어 푸코에 반대한다. 헤겔은 주체성이라는 말을 네 가지로 사용한 바 있다. 첫째는 개인주의적 의미, 둘째는 비판의 권리, 셋째는 행위의 자율, 넷째는 관념주의적 철학이다. 이 중에서 칸트는 주체의 의미를 비판의 권리와 행위의 자율이라는 문제의식에 초점을 두었던 것으로 해석될 수 있다. 이렇게 함으로써 칸트는 현대세계 내에서 미래로 방향설정을 하면서, 그에 조응하는 주체성의 형식을 계몽이라는 개념으로 설명했다. 즉 칸트는 내면적인 형식 속에서 주체의 자율적 규칙을 찾으려 한 것이다. 그것에 비해 헤겔은 자율성의 외면적 형식을 덧붙였고, 그 내용을 역사 속에서 찾으려 한다. 그러나 주체의 내면과 외면을 강조하는 차이에도 불구하고 두 철학자의 근본 질문은 현대의 삶을 규정할 수 있는 규범적 토대를 인간으로부터 찾으려 했다는 점에서 동일한 맥락에 있다.

그런데 푸코는 이러한 주체성의 문제를 권력이론으로 대치하고 만다. 그는 지식의 효과에 실재성을 부여하는 권력의 형식을 분석하면 주체 철학의 단점을 극복할 수 있다고 믿었다. 그러나 하버마스가 보기에는 권력에 대한 분석이 주체의 의미를 확보해 주지 못한다. 왜냐하면 권력에 대한 분석은 또 다른 권력의 변화과정에만 몰입할 뿐, 역사 속에서 인간의 이성이 어떻게 작동하는지를 보여주지 않는다. 권력기술에 대한 분석이 경험적인 작업이라면, 주체의 자율성에 대한 모색은 철학적 작업이며, 이 둘은 쉽게 합쳐질 수 없다.

> "푸코는 권력의 근본 개념 속에 초월적 종합명제라는 관념론적 사상을 경험주의적 존재 미학의 전제들과 함께 집어넣는다. 이 관점은 주체 철학으로부터 벗어날 수 있는 출구를 열어주지 못한다."[135]

따라서 하버마스의 입장은 현대성의 문제를 고민하고 해결하는 방법은 외부의 조건에 기대지 않고, 자기인식의 토대로 자신의 유한성을 알아가는 것이 유일한 방법이다. 이러한 맥락에서 하버마스는 칸트로 돌아가려 한다. 칸트에게서는 자기인식의 준거를 인간의 내면성에 찾으면서 스스로 자신의 문제를 해결할 수 있는 능력을 확보할 수 있기 때문이다. 그리고 헤겔에 기대어 푸코의 권력 개념의 한계를 넘어설 수 있는 방법도 찾아낸다. 즉 헤겔은 주체성

135 하버마스, 『현대성의 철학적 담론』, 326쪽.

의 사회적 기반을 모색했다는 점에서 주체의 역사성을 모색한 철학자이며, 거기에서 다시 행위 주체의 비판의식을 버리지 않았다는 점에서 푸코의 경험주의적 방법을 넘어서고 있다.

따라서 주체의 내면과 외면을 통합하는 방식이 현대의 문제를 정확히 인식하는 토대이며, 그 구체적인 방법으로 의사소통 행위 이론을 제시한다. 하버마스는 칸트의 자율의지와 헤겔의 외면적 구조를 통합할 수 있는 방법으로 상호주체성의 이론을 제시한 바 있고, 이를 실천할 수 있는 방법이 의사소통 행위라고 주장한다. 상호주관적 의사소통의 능력을 통해서 인간의 자율적 의지는 잠재적인 상태에서 현실 속으로 드러날 수 있다. 그리고 이것은 결국 칸트가 말한 계몽의 개념과 유사한 것이다. 왜냐하면 계몽이란 인간의 의지를 바탕으로 과거의 관습으로부터 벗어나서 새로운 삶을 영위할 수 있는 실천이성 능력이기 때문이다. 더구나 타인과의 관계 속에서 이성의 공적 사용을 전제로 한 것이기 때문에, 사회적 권력 관계 역시 포함하고 있는 것이 계몽이기 때문이다.

3장 | 칸트와 맹자

칸트의 정치사상을 정리하면서 동양의 맹자와 비교하는 것은 제법 유용해 보인다. 그 이유는 두 가지이다. 첫째는 맹자의 사상 속에는 루소와 칸트가 대립했던 쟁점, 즉 이성과 감성에 대한 논의가 변증법적으로 통합되는 가능성을 찾아볼 수 있기 때문이고, 둘째는 맹자의 민본론을 통해서 한국 전통에서 유교적 공공성을 발굴하고, 이를 근거로 서양(칸트)의 공공성과 비교해 볼 기회가 있기 때문이다. 물론 이 두 가지 학문적 필요성은 현대 한국정치를 평가하고 새로운 비전을 마련하는 일에도 도움을 줄 것이다.

우선 이성과 감성을 종합하고 있는 맹자의 사상을 살펴보자.

맹자가 보기에 인간의 본성은 인이라는 것이며, 이것은 내재적인 속성이다. 인간의 본성에 대한 논의는 「고자」 상 11-4에서 잘 나타난다.[136] 여기서 맹자는 고자와 논쟁을 하고 있다. 우선 고자는 연장자를 공경하는 사회적 관습을 예로 들면서, 나이가 많은 사람을 공경하는 것은 연장자에 대한 공경이 사회적으로 부여된 관습이기 때문이지, 그 원리가 나의 내면에 있는 것이 아니라고 말한다. 이것은 어떤 사물이 희다고 여기는 것은 밖으로 드러나는 사물

136 맹자, 박경환 역, 『맹자』, 홍익출판사, 2012, 303-306쪽.

의 색이 흰색으로 보이기 때문이라는 것이다.

여기에 맹자는 공경하는 마음이 내재하기 때문에 연장자를 공경하는 것이라고 반론을 편다. 숙부와 동생을 공경한다는 비교를 들면서 동생이 시동[137]으로 있을 경우 동생을 공경한다는 말을 하게 된다. 이때 동생을 공경하는 이유는 나이가 많기 때문이 아니라, 조상의 상징 역할을 하기 때문에 공경하는 마음이 생기는 것이라고 설명한다. 또 선한 본성에 대해서 맹자는 사람들이 동일한 기호를 가지고 있고, 귀는 소리에 동일한 청각을 가지고 있으며, 눈은 색에 있어서 동일한 색감을 가지고 있다고 말할 수 있는 것과 같다고 설명한다(「고자」 상, 11-7).[138] 이러한 맹자의 주장을 칸트의 용어로 풀어보면 인간의 순수한 의지가 내면에 존재하는 것이다.

> "사람은 누구나 타고난 바탕대로만 따른다면 선하게 될 수가 있으며, 이것이 곧 내가 말하는 바의 본성이 선하다는 의미이다. 사람이 선하지 않게 되는 것은 타고난 재질의 잘못이 아니다."[139]

137 시동이란 제사 지낼 때 죽은 조상의 상징으로 신위에 세우는 어린아이를 의미한다.

138 맹자, 『맹자』, 311쪽.

139 맹자, 『맹자』, 308쪽.

위의 인용문은 인간의 순수의지를 통해서 도덕법칙을 정초하려 했던 칸트의 인간관과 매우 유사하다. 칸트는『윤리형이상학의 기초』와『실천이성비판』에서 지금까지 서양의 윤리학이 타율의 원칙에 근거해 왔음을 비판하고 있으며, 이성적 반성을 통해서 순수실천이성이 작동하게 되는 것을 확인함으로써, 내면적 도덕법칙이 성립될 수 있다는 점을 확증하고 있다. 이러한 맥락에서 칸트의 윤리학은 심정윤리학이며, 도덕주체의 자기입법 과정을 논증한 것이다. 그런데 맹자도 이와 비슷한 주장을 하고 있다. 위의 인용문은 이른바 인의 내재설을 주장한 것이며, 도덕주체의 자율성에 인의 본질이 있다고 강조한 점에서, 칸트와 매우 유사한 철학적 입장을 보여주고 있다. 또한 칸트는 반성적 이성의 역할을 강조하고, 타인의 도덕행동에 대해서 존경의 감정을 가지는 태도를 통해서 사적인 욕정을 벗어날 수 있다고 강조한 바 있다. 이것은 맹자가 욕망을 줄이고, 도덕적인 마음을 가지고 도덕적인 본성을 길러내는 방법을 통해, 공적인 인간이 될 수 있다고 강조한 것과 매우 유사하다.

"마음을 기르는 방법은 욕망을 적게 하는 것보다 더 좋은 것이 없다. 사람됨이 욕망이 적으면서도 본래의 선한 마음을 보존하지 못하는 경우가 있기는 하지만 드물고, 사람됨이 욕심이 많으면서도 본래의 선한 마음을 보존하는 경우가 있기는 하지만 드물다."[140]

그래서 마음을 남김없이 실현하라고 맹자는 가르친다(「진심」상, 13-1).[141] 그리하면 자신의 본성을 이해하고, 하늘을 섬길 수 있다고 한다. 남김없이 실현한다는 것은 무슨 뜻일까? 이것을 칸트의 용어로 풀어본다면 결국 자신에게 내재된 순수한 실천이성을 파악하고 그것을 행동으로 실천한다는 뜻이다. 그럼 하늘을 섬긴다는 뜻은 무슨 말인가? 이것은 칸트의 용어로 설명한다면 보편적인 도덕법칙을 준수한다는 뜻이다.

"만물이 다 나에게 갖추어져 있다. 그러므로 자기 내면으로 되돌아가서 내면을 진실되게 하는 것보다 더 큰 즐거움은 없다. 자신의 마음을 미루어 남을 생각하기를 힘써 실천하는 것보다 인을 구하는 가까운 방법은 없다."[142]

인을 구하는 방법이라는 표현은 결국 사적인 욕망을 넘어서 의로운 행동을 할 수 있는 방법을 말한다. 이것이 군자의 분수라고 말

140 맹자, 『맹자』, 492쪽.

141 맹자, 『맹자』, 357쪽.

142 맹자, 『맹자』, 361쪽.

한다.[143] 분수란 의무라는 말과 같다. 남을 생각하는 마음을 갖고, 그것을 실천하는 것이 군자의 의무이다. 맹자의 도덕법칙은 칸트의 의무규정과 유사하다. 그래서 순임금과 도척의 차이를 알기 위해서는 사람이 이익을 추구하는가 선을 추구하는가의 차이[144]를 살펴보면 된다. 정치적으로 보면 이성의 공적 사용이라는 목표와 일치될 수도 있겠다. 이것을 맹자의 예로 적용시켜 보면 사적인 이해관계를 넘어서, 의로움을 실현하는 것이 정치의 목표라고 말한 것과 일맥상통한다.[145] 칸트에 있어서, 사적인 욕정을 넘어서는 계기는 타인의 도덕적 행동에 대한 존경이 감정으로 절취되는 순간

143 "군자가 본성으로 여기는 것은 비록 그의 이상이 천하에 실행되더라도 그 때문에 늘어나지 않고, 그가 아무리 곤궁하게 지내더라도 그 때문에 줄어들지 않는데, 그것은 타고난 분수가 정해져 있기 때문이다." 맹자, 『맹자』「진심」상 13-21. 373쪽.

144 "닭이 울면 일어나 부지런히 선을 행하는 사람은 순임금과 같은 부류의 사람이고, 닭이 울면 일어나 부지런히 이익을 추구하는 사람은 도척과 같은 사람이다. 순임금과 도척의 구별을 알고자 한다면, 그것은 다른 것이 아니라, 이익을 추구하는가 선을 추구하는가의 차이이다." 맹자, 『맹자』「진심」상 13-25, 377쪽.

145 맹자는 양혜왕을 처음 만난 자리에서 맹자가 자신의 나라에 찾아와 많은 이로움을 얻게 될 것이라는 왕의 인사를 꾸짖으며, 자신은 의로움을 세우려고 왔다고 말한 바 있다. 맹자, 『맹자』, 31쪽.

이라고 한다면, 맹자에게는 본성에 내재한 인을 드러내어 선을 추구하는 과정이 바로 사적인 욕망을 넘어서는 계기가 된다. 이 대목에서는 칸트와 맹자는 서로 닮은 꼴이다.

그러나 맹자와 칸트는 다른 점도 있다. 「공손추」 상 3-6에서 맹자가 우물안에 빠질 위험에 처한 아이를 구하는 장면이 나오는데, 이때 인간의 마음을 설명하기 위해서 맹자는 단이라는 개념을 제시한다. 이것은 분명 칸트의 도덕 윤리학과는 차이가 나는 부분이다. 왜냐하면 칸트는 인간의 감정과 이성을 철저히 구분하고, 사적인 감정이(욕정이던 정감이던) 이성적 반성을 통해서, 실천이성으로 변화하는 순간에만 비로소 도덕준칙이 성립한다고 간주했기 때문이다. 이것을 현대 심리학의 용어로 설명하자면, 심신 이원론에 해당한다. 또 송대의 유학자들의 용어로 풀어보자면 심과 리를 구분하는 입장이다. 반면 맹자가 논하는 단의 개념은 반드시 이성적 반성을 의미하는 것이 아니다. 단이란 차라리 이성과 감정의 이전 상태라고 말할 수 있는데, 단이 발휘되는 여러 형태가 감정적인 것일 수도 있고, 이성적인 것일 수도 있으며, 때로는 사회적 관습에 적응하는 능력이라고도 할 수 있다. 그래서 맹자는 심과 리가 하나라고 본다.

"사람들은 누구나 차마 남의 고통을 외면하지 못하는 마음이 있다고 하는 것은 다음과 같은 근거에서이다. 만약 지금 어떤 사람이 문득 한 어린아이가 우물 속으로 빠지게 되는 것을 보게 된다면, 누구나 깜짝 놀라며 측은하게 여기는 마음을 가지게 된다. 그렇게 되는 것은 어린아이의 부모와 교분을 맺기 위해서가 아니고, 마을 사람과 친구들로부터 어린아이를 구했다는 칭찬을 듣기 위해서도 아니며, 어린아이의 울부짖는 소리가 싫어서 그렇게 한 것도 아니다."[146]

위의 인용문에서 가장 중요한 문장은 '남의 고통을 외면하지 못하는 마음'이라는 표현이다. 이것은 인간 본성이며, 이성이나 감정의 차원이 아니다. 단이란 바로 그런 것이다. 여기서 측은하게 생각하는 마음, 부끄러워하는 마음, 사양하는 마음, 옳고 그름을 판단하는 마음이 생긴다. 이것은 각각 인의 단서이고, 의의 단서이며, 예의 단서이고, 지의 단서이다. 이렇게 보면 단은 루소가 생각했던 연민과 칸트가 생각했던 반성적 이성능력을 모두 지칭하는 개념이다. 더욱 중요한 것은 남의 고통을 외면하지 못하는 마음에서 도덕적 실천론이 시작되고, 바로 여기서 정치가 탄생한다. 즉 정치를 하는 이유는 남의 고통을 외면하지 못하기 때문이다. 이것은 시민사회에서 자유로운 토론을 전제로 하여 이성의 공적 사용이 가능하며, 국가란 시민 개개인의 입법의지가 모여 사회계약을 통해 국

146 맹자, 『맹자』, 106쪽.

가를 성립시킨다고 본 칸트와는 명백히 구분되는 관점이다. 한마디로 요약하면 칸트에게 정치란 시민 개개인이 모두 참여하는 공적인 영역에 해당한다면, 맹자에게 정치란 남의 고통을 외면하지 못하는 군자가 민초의 아픔을 치유하기 위해서 덕을 베푸는 행위이다.

한마디로 맹자의 민본론이란 군자의 정치 행위를 정당화하는 기준이지, 민이 정치에 직접 참여한다는 뜻은 아니다. 모든 통치행위는 정당성의 근거를 제시하고 그것을 통해서 군주의 자질을 평가하는 것이 중국정치의 특성이었다. 공자와 맹자 이전에는 통치행위의 근거는 천의 뜻이었다. 천이란 하늘이고, 무형의 형이상학이었다. 그래서 주나라 시대에는 하늘의 뜻을 찾기 위해 점성술을 사용하는 것이 일반적인 관행이었다. 즉 주술사는 정치에 필수 불가결한 존재였다. 그러다가 춘추전국시대에 접어들어, 정치의 정당성은 민의 뜻에 따라 결정된다는 새로운 정치사상이 성립되기 시작한다. 이것이 바로 공자가 시작하고, 맹자가 본격화했던 민본정치의 실체이다. 이렇게 천의 관념에서 민의 관념으로 정치의 토대가 바뀐 이유는 간단하다. 천의 뜻을 알아내는 것이 너무 어려웠고, 통치의 대상들에게 설득력을 얻는 것도 어려웠기 때문이다. 반면 민은 당시 통치의 대상이었지만, 이들의 존재 자체가 지배계급에게는 생존의 중요한 기반이 되었기 때문에, 민의 뜻에 따라 정치를 수행한다는 것은 민을 설득하여 전쟁에 참여하도록 독려하는 중요한 수단이 된 것이다.

“몸에는 귀한 부분과 천한 부분이 있으며, 중요하지 않은 부분과 중요한 부분이 있다. 중요하지 않은 부분 때문에 중요한 부분을 해쳐서는 안 되고, 천한 부분 때문에 중요한 부분을 해쳐서는 안 된다. 중요하지 않은 부분을 키우는 자는 소인이고, 중요한 부분을 키우는 자는 대인이다.”[147]

이러한 맥락에서 인간의 본성 속에 인이 있으며, 이러한 인을 실천하는 것이 바로 의이며, 의를 통해서 민을 제대로 살 수 있도록 하는 것이 바로 정치의 목표라는 도식이 성립하게 된다. 그리고 맹자는 인을 실천함으로 의를 달성하는 것이 하늘의 뜻을 실천하는 것이라고 말한다. 이것이 바로 천인합일의 논리이다. 즉 하늘의 뜻인 성을 인간사회에서 구현하는 것이 하늘의 명이자, 인간의 도리라는 뜻이다.

그리고 인간의 도리는 인간의 내면성으로부터 유래한다. 이것이 바로 인의 내재설이다. 그리고 인을 최고 수준으로 달성한 사람이 바로 군자이다. 그래서 정치도 군자가 해야 한다. 군자가 민의 지도자이며, 지배자가 될 수 있는 근거이다. 따라서 민은 입법자의 주체가 아니라 그저 통치의 대상일 뿐이다. 다만 군자가 제정한 법

147 맹자, 『맹자』, 320쪽.

이 민의 뜻에 잘 맞는지가 중요할 뿐이다. 그러나 맹자는 순수한 이상주의자는 아니다. 그는 민을 위한 정치의 기본 토대로 항산이라는 개념을 제시하는데, 이것은 정치가 물질적 조건에 근거해야 한다는 유물론의 시각을 제공한다는 점에서 획기적인 제안이었다. 또 공자의 덕치와는 구분되는 대목이다.

> "풍년에는 젊은이들이 대부분 나태해지고, 흉년에는 젊은이들이 대부분 포악하게 되는데, 이것은 타고난 재질이 그처럼 다른 것이 아니라, 그들의 마음을 빠져들게 하는 것이 그렇게 만드는 것이다."[148]

정치 권력이 유지되기 위해서는 통치자의 덕이 필수조건이라고 한다면, 경제적 풍요는 충분조건이다. 아무리 덕을 발휘하더라도, 먹고사는 문제가 해결되지 않는다면, 정치는 불안해진다. 자연재해나 전쟁의 위협으로부터 민을 보호하는 것이 정치의 기본이다. 그래서 맹자는 순임금의 치화, 우임금의 치수 등을 실례로 언급하곤 한다. 만일 이러한 정치의 필요충분조건이 충족되지 못하면 어떻게 될까? 맹자는 단호하게 군주를 바꿀 수 있다고 말한다.

148 맹자, 『맹자』, 310쪽.

바로 이 점이 공자와 맹자의 차이점이며, 후대에 맹자의 사상이 군주 정치체제에서 배제되었던 이유이다. 칸트의 용어로 풀어 설명하자면, 사회계약의 주체가 만들어 낸 정부에 대해 시민 스스로가 저항한다는 것을 의미한다. 이러한 점에서도 칸트의 자유주의 정치와 맹자의 민본정치론은 의미의 차이가 분명 있다.

그럼에도 불구하고 맹자의 민본정치는 조선시대의 유학정치에 큰 영향을 주며, 군주의 자질에 대하여 견제가 필요하다는 각성을 심어주게 된다. 이러한 영향으로 탄생한 것이 바로 조선의 공공정치이다. 예를 들어 왕을 견제할 수 있는 사간원과 사헌부를 설치하고, 왕에게 신하의 의견을 개진할 수 있는 경연을 강조하며, 유생들의 권당이나 상소제도를 마련했던 것은 바로 조선정치의 공론장에 해당하는 것이다. 그리하여 조선시대에 왕이나 특정 정치인이 사사로운 이해에 근거하여 정책을 실행하려 할 때 "공론을 듣지 않는다"라는 말을 함으로써 민본정치의 근간을 유지하려 했던 것이다.

4장 | 한국사회와 칸트

앞에서 살펴본 개인윤리와 계몽은 공공성(publicness)에 포함되는 개념들로서 현대 민주주의를 논하는 자리에서 대단히 중요한 개념이다. 왜냐하면 현대 민주주의에서 가장 심각한 문제가 정치인의 부패문제인데, 이 문제를 해결하는 방법이 바로 공공성을 함양하고 증진시키는 길이기 때문이다. 또 국가권력의 공정한 절차성과 경제적 평등의 문제가 현대사회에서 중요해지는 만큼, 소수자를 보호하고 사회적 연대를 구축하는 방안을 칸트의 정치철학에서 찾을 수 있다고 생각한다. 따라서 한국정치에서 등장한 부정부패의 문제를 지적하고, 칸트의 정치철학 범위에서 가능한 해결책을 찾아보도록 하자.

우선 공공성의 개념에 대해서 잠시 음미해 볼 필요가 있다. 공공성이란 공적인 것을 의미하는 것으로 사적인 것과 구분되는 개념이다. 공과 사를 구분하는 방식은 시대마다 다르게 변해왔다. 그리스 시대에 공이란 공유하는 것을 의미하고, 사란 다른 것과 구분되는 특수한 것을 의미했다. 즉 공이란 모두에게 공통된 것, 공동체와 관련된 것이라고 한다면, 사란 공동체와 구별되는 일, 개인에게만 한정되는 일을 뜻했다. 여기서 publicus와 privatus라는 단어가 탄생한다. 한편 로마 시대에는 공이란 인민(populis)이나 공적인 것(res publica)을 가리키는 단어였고, 사란 타인의 시선으로부터 박탈된 것(res privata)이라는 뜻을 가진 단어이다. 그러나 18세기 즈음

하여, 칸트의 정치철학을 기점으로, 공적인 것이란 개인의 공적 이성을 지칭하는 개념이 되었고, 현대 정치철학에서는 하버마스를 통해서 자유로운 토론을 의미하게 되었다.

여기서 한가지 잊지 말아야 할 것은 칸트의 계몽철학이나 하버마스의 토론 민주주의는 주로 시민사회에서 공공성을 의미하는 것이라는 점이다. 그런데 공공성이란 국가의 기능과도 연결되어 있으며, 또는 공적인 가치를 의미하는 것이기도 하다. 그래서 보통 공공성이라는 말을 사용할 때는 공적 영역이라는 표현을 하기도 하며, 때로는 공적 가치가 무엇인지를 묻기도 한다. 전자가 주로 국가정책의 보편성을 지향하는 개념이라면, 후자는 공적 행동을 실천한 개인(주체)의 의도와 관련된 개념이다.

이렇게 놓고 보면 공공성이란 3가지 수준으로 구분된다. 첫째는 국가 단위에서 공공성에 대한 논의가 있는데, 여기서는 주로 정치 리더십이나 통치의 정당성을 논하게 된다. 그런데 국가 단위의 공공성은 맹자로부터 이어지는 유교적 전통을 탐구하는 것이 유용하다. 둘째는 시민사회 단위에서 공공성에 대한 논의가 있는데, 이것은 주로 대의제 민주주의 위기를 극복하기 위한 방안을 모색하는 차원에서 자유로운 토론의 가능성을 모색하는 것이 중요한 쟁점이 된다. 여기서 칸트의 계몽이 핵심 개념으로 등장한다. 셋째는 공공성을 실천의 주체 단위에서 진행한 논의가 있는데, 여기서는 주로 공중이라는 누구인가? 공중은 어떻게 탄생하는 가? 같은 질문이 핵심적인 쟁점이 된다. 여기서는 주로 후기 푸코의 주체화의 과정을 참고하는 것이 유용하다. 이러한 3가지 수준에서 공공성의 학문적 연구성과를 정리해 보고, 향후 한국정치가 해결해야 과제에 대해서 고민해 보도록 하자.

첫째, 국가 단위에서의 공공성. 여기서 맹자의 정치철학과 조선시대의 유교적 공공성이 발현된 예들이 자주 거론된다. 본문에서 맹자를 다루면서 언급했던 것처럼 맹자는 최초로 민의를 통치의 정당성을 확보해 주는 기초라고 생각했던 사상가였다. 물론 맹자 이전의 공자나 맹자 이후의 주희도, 이와 비슷하게, 천심, 공심 따위의 개념들을 언급한 바 있지만, 맹자의 민본론은 정치의 핵심이 민의를 파악하는 것이라고 공식화한 선언이었다. 이러한 맹자의 사상을 가장 훌륭하게 실현한 왕이 조선시대 세종이었다. 그는 다양한 정치비평과 언관의 기능을 확보한 성왕으로 칭송받는다. 특히 재상의 기능을 강화한 재상위임론과 유학자들의 공론을 반영하기 위한 정치 운용론 등은 조선시대의 왕조정치가 1인 통치체제가 아니라, 공론의 기능을 바탕으로 하는 숙의 민주주의 체제였다는 점을 웅변한다. 즉 국왕의 전횡을 막기 위한 최후의 보루가 바로 공론이었다. 구체적인 제도로는 경연의 활성화, 신문고 설치, 상소제도 등이 있었다. 또 지방에 향교를 설치하여 교육기능을 강화하고, 나아가 이곳을 통해서 지방유생들이 관직에 나가지 않은 시기에도 자신의 의견을 말할 수 있도록 했다. 실제로 세종이 손실 답험법이라는 토지세제법을 개혁할 즈음 그가 보인 정치적 태도들은 조선시대 공공성의 정치를 보여주는 전범으로 자주 인용되곤 한다. 즉 세종은 전국적인 여론조사를 실시하여 민초들의 의견을 청취하였고, 관료들에게 숙의할 시간을 충분히 부여하여 반대자들도 스스로 찬성할 수 있도록 하였으며, 지역별로 실시단계를 다르게 하여 지역의 사정을 고려하는 정책을 펼쳤다. 거의 17년의 시간을 통해서 완성한 세종의 공적 세제개혁은 공공정치의 성공사례라고 부를 만하다.

필자는 이러한 경험이 여전히 현대 한국정치에 큰 함의를 준다고 생각한다. 예를 들어 한국정부의 정책들을 생각해 보자. 정부의 예산집행은 주로 1년 단위로 집행되고 그에 대한 평가가 이루어지는 만큼 예산을 통해 혜택을 받는 주민들의 의사를 수렴하거나, 그에 대한 사후 반응을 점검하기가 어렵다. 더구나 행정부 내에서 업무의 분담이 지나치게 복잡하여 하나의 의사결정이 이루어지기에는 효율성이 현저히 떨어지기 마련이다. 또 장관과 같은 선출직 공무원과 업무의 실무를 담당하는 공무원들 사이에 효과적인 의사소통이 어려워, 실제적으로 정부의 정책들은 공공성보다는 선심성을 우선하게 된다. 그래야만 장관이 재임되거나 정부의 인기도가 올라가기 때문이다. 국가 단위에서 공공성의 위기란 결국 시장의 논리, 선심성의 논리가 공공성의 논리를 앞서는 현상을 말하는 것이다.

여기서 시장의 논리란 사적인 이해관계를 의미하며, 더 많은 주민들의 평등한 혜택보다는 영향력 있는 사람들의 경제적 이득을 가리킨다. 이러한 현상이 지속되는 이유는 오늘날의 국가란 바로 선거를 통해서 주기적으로 권력의 순환이 이루어지는 정부를 의미하기 때문이다. 재선을 위해서는 오랜 시간을 기다려서 더 많은 주민들에게 효과를 내는 공공정책보다는, 빠른 속도로 혜택을 만들어 내어 표심을 움직일 수 있는 정책을 선택할 수밖에 없다. 또 공무원들의 경직성도 문제가 된다. 자신이 책임질 일들을 회피하면서 직위를 유지하려는 복지부동의 자세는 공무의 경직성으로 나타난다. 이것을 해결하기 위해서는 임무와 함께 권한을 일임하는 행정개혁이 단행되어야 할 것이다. 이 문제를 어떻게 해결할까? 결론적으로 보면 인간의 욕망을 근본적으로 공적인 것으로 전환시켜야 할 것이며, 힘 있는 소수보다 힘없는 다수의 의견이 반영될 수 있는 의사소통 구조가 완비되어야 한다. 전자는 시민교육을 통한 주체화 과정과 연관되어 있으며, 후자는 시민사회에서의 자유로운 토론과 관련되어 있다.

둘째, 시민사회의 공공성. 칸트는 자유로운 의사소통이 전제되면 인간의 이성은 공적으로 사용될 것이라고 믿었다. 여기에는 소통을 통해 비판정신이 기능하면 합리적인 의사결정에 도달할 수 있을 것이라는 기대가 깔려 있다. 그리고 하버마스는 이것이 18세기 서유럽 자유민주주의의 성공비결이라고 판단했다. 다만 19세기에 오면 복지국가로 확대된 국가권력과 독점자본 세력이, 언론의 기능을 마비시키고 인간의 비판적 이성능력을 쇠락시킨다. 이것을 하버마스는 자본에 의한 시민사회의 재식민화 과정이라고 이름 붙였다. 그러나 이러한 식민성으로부터 탈출할 수 있는 해방의 에너지는 역시 인간의 소통능력에 있다고 하버마스는 믿고 있다.

과연 한국정치는 어떤가? 한국정치의 소통 부재는 크게 보아 두 가지 차원에서 발생한다. 첫째는 시민들의 의견과 대표로 선출된 사람들의 의견이 일치하지 않는다. 예컨대 국회의원 선거에서 선출된 사람들은 자신들의 의견이 지역구 주민들의 의견과 일치하는가에 대해 크게 신경 쓰지 않는다. 이것은 법적으로도 크게 문제가 되지 않는다. 이런 맥락에서 보면 한국의 정치는 대의제가 아니라 대표제이다. 정치인의 사적인 의견이 주민들의 의견을 대표하는 것이다. 특히 정당 민주주의에서는 당의 공천권이 선거의 당락을 결정하는 만큼 정치인들은 당의 눈치를 보지 않을 수 없다. 소위 계파정치에서 자유로울 수 없다. 이러한 상황에서 지역주민들의 의견은 쉽게 배제되기 마련이다.

둘째는 언론의 기능이다. 신문과 방송은 권력에 의해서 지배당하는 것이 일상이며, 인터넷 매체는 새로운 여론을 만들어 내는 기능을 하기에 턱없이 부족하다. 즉 전통적인 공론장은 자본과 권력 앞에 무기력하며, 새로운 공론장은 여론몰이를 하는 인터넷 스타들에 의해서 장악되었다. 이러한 상황에서 차분한 토론과 합의 과정을 기대할 수 없다. 오직 자극적인 비방과 인신공격만이 난무할 뿐이다.

그럼 어떻게 할까?

우선 정당체제에서 선거제도를 바꾸는 것이 시급하다. 정당공천제도를 개혁하는 것이 시급한데, 이미 여러 차례 개혁을 시도했지만 여전히 정당공천권이 살아 있는 한 주민들의 의사를 반영하는 선출은 불가능할 것이다. 차라리 그리스 시대에 시행되었던 추첨식 선거제도를 운영해 보면 어떨까? 자격 있는 사람들 중에서 정치에 입문하려는 사람들을 베이스로 하고 추첨을 하여, 2년 단위로 국회의원을 수행해 보는 것이다. 그렇게 되면 정당 이기주의를 극복할 수 있을 것이고, 돈이 안 드는 선거도 가능하며, 주민들의 정치참여도 획기적으로 증가할 것이다.

다음으로 언론장의 공공성을 확보하는 것이 시급하다. 현재 한국정치에서는 정당 간의 대립보다는 인터넷 매체를 통해서 전개되는 폭로와 비방전이 정치를 더욱 오염시키고 있다. 익명성에 가려 막가파 공격을 일삼고 이것을 통해 인터넷을 주도해 가는 여론 지배층들을 견제하는 수단을 마련하는 것이 시급하다. 이것은 결국 개별 시민들의 공공성에 달려 있는데, 이것을 푸코는 새로운 주체화 과정이라고 이름붙인 바 있다.

셋째, 정치주체의 공공성. 민주주의란 결국 일정한 삶의 양식이다. 제도로서의 민주주의가 국가의 권력분립과 시민사회에서 선거를 탄생시켰다면, 이러한 제도를 밑받침하는 근본은 민주적 시민을 만들어 내는 것이다. 하버마스는 18세기 공론장의 기원이 17세기 인문학적 공론장이었다고 서술한 바 있다. 인문학적 공론장의 기본적인 기능은 예술과 철학에 대한 비판적 독해였고, 이를 위해서 17세기 부르주아들은 사생활의 영역에서 독서와 일기 쓰기를 훈련하였다. 베버는 『프로테스탄트의 윤리와 자본주의 정신』에서 한 시대의 제도는 당대의 정신과 가치관에서 유래한다고 주장한 바 있는데, 이것이 오늘날 한국정치의 공공성을 논하면서 주체의 위상을 자리매김하는 데 대단히 중요한 시사점을 준다. 즉 베버는 합리적-계산적 정신이 프로테스탄트의 윤리의식에서 기원했고, 이것이 자본주의라는 체제를 만들어 냈다고 보는데, 이러한 통찰을 푸코의 "자기배려"라는 논리에 대입해 보면 상당히 유용한 역사해석을 도출해 낼 수 있을 것 같다.

예를 들어 각 시대를 특징짓는 자기배려의 과정, 즉 주체화 과정이 있는데, 그리스 시대, 로마 시대, 기독교 시대, 그리고 자유주의 시대의 자기배려의 방식이 존재한다. 이러한 시대별 특징들이 바로 『성의 역사』 1권, 2권, 3권, 4권에 해당한다. 그리고 이러한 자기배려의 변화조건이 바로 푸코가 칸트의 계몽을 새롭게 해석하는 단초가 된 것이다. 즉 푸코는 계몽이란 한 시대에서 새로운 시대로 변화하는 시기에 새로운 형태의 자기배려를 만들어 내는 방식이라고 본 것이다. 그리고 모더니즘의 시대가 종식을 고하고 새로운 시대를 맞이하는 오늘날을 후기 모더니즘이라고 부르고, 거기에 상응하는 새로운 윤리적 주체구성이 어떻게 가능한지를 모색하고자 한 것이다.

나는 푸코의 자기배려의 개념을 현대정치에 연결지어 보면 주체의 공공성이라는 주제가 보다 분명해질 것이라고 믿는다. 한국사회는 1948년 이후 국가 주도의 교육방식을 채택했고, 박정희 시대에는 병영체제적 교육을 유지하다가, 2000년을 즈음하여 신자유주의적 경쟁체제로 교육을 하고 있다. 이러한 시대적 변화 속에서 국민들이 민주주의 체제를 받아들이는 경험이 규정되었고, 민주적 가치를 실현하는 태도가 결정된 것이다. 이러한 논리에 따르면 국가와 시민사회에서 정치적 공공성이 실현되지 않는 이유는 개인 주체의 공공성이 확보되지 않았기 때문이다. 그렇다면 어떤 방법으로 국민들의 가치와 태도를 민주적 공공성으로 무장시킬 수 있을까?

우선 선언적인 차원에서 학생들의 의무교육과 국민들의 평생교육에서 자율성과 공공성을 증진시킬 수 있는 교육을 확보해야 한다. 현재 한국의 교육은 지나치게 입시 위주의 실리교육과 성공이데올로기가 지배하고 있어, 공공성과 자율성이 자리를 잡을 여유가 없다. 교육의 목표가 취직이나 성공을 위한 것이 아니라, 건전한 공공성과 타자에 대한 배려를 고취할 수 있는 것이어야 한다. 이러한 목표가 얼마나 성취되는가에 따라 앞으로 한국정치에서 공공성이 실현될 수 있는 가능성이 결정될 것이다.

5부

헤겔 — 인정투쟁

POLITICAL
PHILOSOPHY

1장 | 자유주의 비판

헤겔의 정치철학은 자유주의 정치철학의 종합이다. 우리가 지금까지 살펴온 홉스, 로크, 루소, 칸트를 비판하고 그 대안을 제시하는 것이 헤겔 정치철학의 핵심이다. 그렇다면 헤겔이 기존의 정치철학을 비판하는 요점은 무얼까? 이제 그 내용을 간략하게 살펴보자.

우선 홉스나 로크의 정치철학이 전제하고 있는 개인의 합리성에 대하여 비판한다. 헤겔이 보기에 영국의 정치철학은 개인의 이성에 대한 믿음으로부터 시작되는데, 이때 이성이란 자신의 만족을 최대화하는 것에 초점이 맞추어져 있다. 즉 도구적 이성이 문제이다. 자신이 원하는 것을 달성하기 위해서 가장 효율적인 도구를 찾는 과정에서 국가를 만들었고, 소유권에 대한 법적 권리가 보장된 것인데, 그렇다면 정치라는 것이 사적 욕망을 인정하는 것에 머물러 있는 것 아닌가? 정치가 정말 그런 것인가? 적어도 헤겔이 보기에 정치란 개인적 욕망을 넘어서야 한다. 더구나 정치적 합리성이란 개인의 욕망을 충족시키는 것에 한정될 수 없다. 왜냐하면 정치란 타인과의 공존을 모색하는 것이기 때문이다. 따라서 공동체에 대한 윤리가 성립되어야 하는데, 홉스나 로크의 정치철학에서 욕구의 충족은 있어도, 정치윤리에 대한 고민을 찾기가 어렵다.

이런 맥락에서 루소나 칸트는 한발 앞서간 학자들이다. 루소의 일반의지(volonte generale)는 사적 욕구를 넘어서 공동체의 선을 지향하는 정치적 의도가 살아 있다. 그러나 헤겔이 보기에 루소에게도 여전히 문제가 있다. 우선 루소의 일반의지는 보편적 합의가 불가능하다는 점에서 실효성이 없는 개념이다. 루소는 일반의지를 추상적 관념으로 제시했을 뿐 현실 정치에서 일반의지의 실체를 파악할 수 있는 구체적인 근거를 제시하지 못했다. 과연 일반의지를 실현하는 방법이 다수결인가 만장일치인가? 루소는 인간의 타락을 개탄하면서 이것을 넘어서는 방법이 자연으로 돌아가는 삶에 있다고 말했는데, 그렇다면 일반의지는 자연상태에서의 인간의 의지인가? 이러한 혼란은 오히려 정치적 분열만을 초래한다. 프랑스 대혁명 당시 자코뱅의 공포정치가 수많은 인명피해를 초래했고, 궁극적으로는 혁명의 이념도 퇴색시켜 버렸는데, 바로 그 원인이 일반의지의 추상성에 있다고 헤겔은 판단한다. 이러한 혼란이 종식될 수 없는 이유는 루소가 일반의지를 인간 의지의 종합이라고 보았기 때문이다. 헤겔은 여기서 개인을 넘어서 공동체를 아우르는 의지의 총합을 대안으로 제시한다. 그것이 바로 역사의 간지라는 개념이며, 이것이 제도화된 것이 바로 인륜성의 개념이다.

한편 칸트의 공적 이성은 루소의 일반의지의 추상성을 극복하고 정치윤리를 실현할 수 있는 구체적인 과정을 제시했다는 점에서 보다 세련된 사상체계이다. 그러나 헤겔이 보기에 칸트의 윤리가 개인의 주관성을 기반으로 하고 있다는 점에서 여전히 문제이다. 반성적 자아의 윤리의식에 기대어 있는 칸트의 입장은 공허한 형식주의에 불과하기 때문이다. 이것도 역시 사적 개인의 수준에서 정치윤리를 제시한 것에 불과하다. 그러다 보니 다양한 원칙들이 충돌하는 경우도 생기고, 가장 경멸적인 행동도 도덕적 원칙에 부합하는 행동으로 인정되는 모순이 발생하기도 한다. 예를 들어 보자. 거짓말을 하지 말라는 정언명법이 언제나 통용될 수 있는 윤리일까? 만일 강도에게 쫓기는 친구가 찾아와 숨겨달라고 했다고 가정해 보자. 조금 후 강도가 문을 박차고 들어와 그 친구를 찾았을 때, 이 집 주인이 친구가 벽장에 숨어 있다는 사실을 솔직하게 강도에게 말하는 것이 정언명법에 맞는 행동일까? 친구를 보호하기 위해서 거짓말을 하는 것은 정언명법에 어긋나는 행동인가?[149] 이러한 예시는 무엇을 의미하는가? 윤리적 행동이란 객관적인 외부요인이 함께 고려되어야 한다는 점을 암시하는 것이다. 헤겔은 루소와 칸트가 모두 주관적 요인만을 강조한 나머지 윤리의 객관성을 놓치고 말았다고 비판한다. 그래서 그는 주관적 반성과 함께 대상의 객관성을 동시에 포착할 수 있는 개념을 제시하는데, 그것이 바로 인륜성(Sittlichkeit)의 개념이다.

요약하자면, 헤겔 철학은 다음과 같은 문제의식에서 출발한다.

149 이러한 예는 마이클 샌들, 『정의란 무엇인가?』 5장에 나오는 예를 간략하게 정리한 것이다. 샌들은 칸트의 정치철학을 비판하면서 상황에 맞지 않는 정언명법의 모순을 지적하기 위해서 이러한 사건을 설명하고 있다.

1. 정치적 합리성은 사적 욕망을 실현하는 것에 머물러서는 안 된다. 이것은 이른바 도구적 이성에 대한 비판이다. 그래서 헤겔은 이성을 간계와 예지로 구분하는데, 이때 간계란 도구적 이성을 말하고, 예지란 사적 욕망을 넘어서는 공동체적 지혜를 의미한다.
2. 정치의 목표가 경험주의적 차원을 넘어서야 한다. 홉스와 로크처럼 인간의 정치적 목표가 생명의 보호와 소유권의 보장에 있다는 것은 욕망의 실현에 불과하다. 이렇게 되면 정치적 윤리가 결여되어 공동체의 성립이 수단적인 것에 머물게 된다. 그래서 공동체의 성립은 그 자체가 하나의 목표가 되어야 하며, 서로 다른 개인들의 욕망을 통합할 수 있는 공동체 전체의 목표가 있어야 한다. 따라서 국가란 사적 욕망을 충족시켜 주기 위한 수단이 아니라, 절대 이성의 최고단계로서 성립하는 공동체의 목표가 된다. 여기서 국가의 존재 자체가 개인의 존재보다 앞서기 때문에, 개인들은 국가의 명령에 복종하지 않을 수 없다.
3. 일반의지는 정치의 윤리를 지향하고 있다는 점에서 큰 의미가 있으나, 구체적인 현실에 그것을 실현할 수 있는 방법을 제시하지 못하고 있다. 더구나 일반의지를 개인의 의지에서 유추하고 있는 만큼 공동체 전체를 포괄하는 정치적 목표를 설정하기 어렵다. 따라서 일반의지는 역사 속에서 찾아야 하며, 그것을 역사의 간지라고 부를 수 있다. 그리고 국가가 바

로 역사의 간지를 실현하는 절대 이성의 실현체이다.

4. 칸트의 반성적 의지와 실천이성은 주관성에 매몰된 형식주의에 불과하다. 정치윤리는 반드시 객관적인 사회현실과 외부적 조건을 고려해서 성립되어야 한다. 그래서 헤겔은 주관성과 함께 객관성을 종합할 수 있는 개념을 제시했고, 그것을 인륜성이라고 불렀다. 인륜성은 사회적 관습과 같은 일반적인 행위 양식을 포괄하는 개념으로서, 사회에서 통용되는 덕스러움을 의미한다. 이러한 맥락에서 이것은 아리스토텔레스적인 에토스와도 유사하다. 한편 인륜성은 사랑의 단계에서 시작하여, 시민사회를 거쳐, 국가에서 완성된다.

위에서 설명한 자유주의 비판을 통해서 헤겔이 제시한 대안은 3가지 단계로 나뉜다. 첫 번째가 청년 시절의 『기독교 정신과 그 운명』이며 두 번째가 예나대학의 교수가 되어 집필한 강의 노트 『예나체제 기획 III』이며, 세 번째가 후기 저작에 해당하는 『법철학』이다. 아래에서 3가지 지적 단계를 구분하고, 텍스트의 주요 내용을 자세히 검토해 보자.

2장 | 헤겔 정치철학의 전개

1절 | 청년 시절: 사랑의 의미

청년 시절, 신학대학에 재학할 때, 집필되었던『기독교 정신과 그 운명』[150]에는 자유주의 철학을 비판하고, 새로운 대안을 찾으려는 헤겔의 단초가 보인다. 헤겔은 영국식 자유주의가 수단적 이성에 매몰되어 있고, 칸트의 반성적 이성이 상황 속에 던져진 구체적인 인간에 대해 고민하지 않는 점을 비판한다. 근대인들이 고립된 자아에 매몰되었다고 지적한다. 그리고 자유주의 철학의 모순을 유대교와 비교한다. 즉 유대교의 율법이 일정한 형식과 규율만을 강조하면서 종교가 인간을 옭아매는 현상이 기존의 자유주의 정치철학과 유사하다는 것이다. 그런데 예수가 나타나 유대교의 속박으로부터 기독교를 해방시켜 인간을 구원한 것처럼, 근대인의 고립으로부터 해방시킬 수 있는 정치철학도 예수의 사랑이라고 생각한다. 왜냐하면 예수의 사랑은 의식과 존재를 분리시켜 왔던 기존의 정치철학의 한계를 극복하고 주체와 객체를 종합할 수 있는 유

150 헤겔, 조홍길 역,『기독교 정신과 그 운명』, 지식을 만드는 사람들, 2015.

일한 방법이기 때문이다.

특히 헤겔은 예수가 했던 산상수훈의 설교를 강조한다. 헤겔이 보기에, 인간이 덕을 실천하는 것은 율법에 복종하는 것이 아니라, 개인의 마음속에 사랑의 마음을 일으켜 스스로 타인에게 선의를 실천하는 것이다. 그리고 이것이 진정한 신앙심이다. 『기독교 정신과 그 운명』이라는 제목에서, 운명이란 내가 공동체와 분리되어 있는 사실에 대한 두려움을 의미한다. 따라서 이러한 공포감을 인정하고, 그것을 삶의 상실로 받아들이고 극복하려는 바람을 갖는 것이 공동체를 유지하는 중요한 결속력이 된다. 이와 동일하게 자유주의 사회에서 개인들이 타인과 더불어 살아갈 수 있는 원동력은 계약이나 법이 아니라, 공동체에 대한 사랑이다. 특히 헤겔은 "예수의 도덕과 칸트의 법칙"이라는 절에서 칸트의 도덕법과 예수의 사랑을 대조하고 있는데, 이것은 초기 헤겔의 사상을 이해하는 데 대단히 중요한 근거가 된다.

> "순수 도덕법은 시민법이 될 수 없다. 즉 대립자들과 그 합일이 이 도덕법 안에서 낯선 타자의 형식을 가질 수 없다. 만일 그렇다면 이 도덕법은 그 활동이 타인에 대한 관계나 활동이 아닌 그런 힘들의 제한과 관련되는 것이다. 법칙이 단지 시민적 명령으로만 작동한다

면 그것은 실정법이다."[151]

"도덕성을 초월한 예수의 이러한 정신은 산상수훈에서 율법과 정면으로 맞선 채로 나타난다. 산상수훈은 율법의 여러 가지 예에서 수행된 시도, 즉 율법으로부터 율법의 형식인 율법적인 것을 제거하려는 시도이다. (...) 사랑은 제물을 거기에 놓아 두고 형제와 화해를 하고 나서야 순수하고 단순한 마음으로 유일한 신 앞으로 나아간다"[152]

그런 의미에서 『기독교 정신과 그 운명』은 지루할 정도로 율법주의 비판에 많은 문장을 할애하고 있다. 솔직히 말하면 책을 읽기가 힘들다. 이렇게까지 길게 똑같은 얘기를 반복해야 할까라는 의구심이 들기도 한다. 그럼에도 불구하고 문제의식은 분명하다. 고대 기독교의 율법주의를 칸트의 형식주의와 등치시킨 헤겔은 자발적인 사랑이야말로 윤리의 터전이며, 삶속에서 실제로 존재하는 인간의 본래의 모습이라고 생각한다. 그런데 사람들이 소유권을 두고 다툼이 생긴다고 할 때 이러한 사회문제도 사랑으로 해결될 수 있을까? 여기서부터 헤겔은 기독교의 사랑으로부터 멀어지면

151 헤겔, 『기독교 정신과 그 운명』, 56쪽.

152 헤겔, 『기독교 정신과 그 운명』, 60쪽-68쪽.

서 새로운 개념을 모색하게 된다. 그것이 바로 '인정투쟁'이다.

2절 | 예나 시기: 인정투쟁의 의미

현실적인 삶의 문제를 정치철학의 대상으로 삼겠다는 헤겔은 입장은 언제나 변함이 없다. 그러나 신학대학을 졸업하고, 예나 대학의 교수가 되어 학생들을 가르치는 나이가 되어서는 점차 현실을 보는 눈이 바뀌기 시작한다. 그는 이제 사랑이라는 개념만으로 세상을 치유할 수 없다는 것을 인정하게 된다. 그래서 형이상학적 논리를 넘어서 현실사회에서 발생한 다툼을 해결할 수 있는 구체적인 방법을 모색하려고 한다. 물론 방법론적으로 주체와 객체를 변증법적으로 통합하겠다는 발상은 청년시절이나 예나시절이나 동일하다. 그렇지만 이제 통합의 원천은 추상성이 아니라 결핍을 충족시키려는 충동의 원리에 있다. 더구나 사랑이 개인의 주관성에 국한된 것이라는 점을 자각하면서, 헤겔은 시민사회에서 노동의 문제에 관심을 둔다. 노동이란 나와 타자를 이어주는 상호의존적인 관계임을 포착하기 시작했고, 여기에는 나와 타자 사이에 욕망의 충돌이 필연적으로 발생한다는 점을 깨닫게 되었다. 따라서 나의 존립은 감정적인 것에 있지 않고, 사회적 근거를 갖는다. 그것이 바로 노동이며, 그 법적인 표현이 바로 소유권이다. 중년의 나이가 되어, 예나대학 시절에 와서, 헤겔은 보다 진지하게 노동과 소유권의 대립문제를 진지하게 고민하게 시작한다. 여기서부터 인정(Anerkennen)이라는 개념이 탄생한다.

인정은 타인을 전제로 하는 개념이다. 따라서 타인은 나에게 투쟁의 대상이다. 왜냐하면 애초에 모든 인식은 나로부터 출발하기 때문이다(즉자의 단계). 그러다가 정신이 성숙해지면 타자가 있다는 것을 인지하게 된다. 타자에 대한 인지는 아직 타자에 대한 수용은 아니다. 그냥 내 옆에 누군가 있는 것일 뿐이다(대자적 단계). 그러다가 타자의 존재가 나의 의식 안으로 진입하면 나의 의식과 갈등을 일으키게 된다. 이러한 갈등이 바로 '인정투쟁'이다(대타적 단계). 홉스의 만인 대 만인의 투쟁이 물리적인 충동을 의미했다면, 헤겔의 인정투쟁은 의식의 충돌을 의미한다. 그런데 인정투쟁은 인간을 성숙하게 만든다. 인간이 성장할 수 있는 유일한 길이 인정투쟁의 과정을 거치는 것이다. 즉자-대자-대타의 과정을 변증법적 과정으로 거치면서 인간이 성숙하는 것처럼, 사회도 유사한 과정을 거쳐 발전해간다. 예를 들어 인간의 사랑도 형이상학적인 수준에서 외부로부터 주어지는 것이 아니라, 사랑-혼인-가족-출생과 같은 변증법적 과정을 거치게 되는 것이다. 이런 맥락에서 단선적인 역사발전을 생각했던 칸트와 헤겔의 역사발전 법칙은 입장이 매우 다르다.

그렇다면 인정의 과정에서 투쟁은 피할 수 없을까? 없다. 왜냐하면 개체로서의 내면적 대립만이 있는 것이 아니라 사회적 주체로서 개인은 객관적 대상을 두고 대립을 하기 마련이니, 투쟁은 피할 수 없는 것이다. 그러나 그 투쟁이 만인 대 만인의 투쟁이라는 형식은 아니다. 인정투쟁은 노동, 물건, 입법이라는 형식을 두고 벌이는 경제적 투쟁이며, 소유권에 대한 갈등이다. 헤겔이 살았던 때가 자본주의적 맹아가 태동하는 시기였고, 자본주의 모순을 예견하던 헤겔은 노동을 둘러싼 시민사회의 갈등이 중요한 사회문제였다는 것을 처음으로 깨달은 정치철학자이다. 이것은 분명 후일 마르크스에게 커다란 영향을 주게 된다. 어쨌든 사회적 주체로서 인간은 투쟁을 피할 수 없고, 그 결과는 승인이다. 나의 존재를 확인받고, 나의 소유권을 인정받고, 나아가 국가의 존재를 승인받게 된다. 이 경로는 늘 인정투쟁의 과정을 통과하기 마련이다. 따라서 칸트의 사회계약론과 다른 차원에서 헤겔은 시민사회와 국가의 탄생을 설명하고 있다.

"내가 차지한 것의 점유상태에 나는 존재한다. 그래서 인정의 내용은 나의 점유로부터 출발한다. 내가 원하는 것을 원하는 만큼 나는 차지할 수 있을까? 인정을 위해서 나는 내가 원하는 것을 제삼자에게서 탈취할 수 없다. 왜냐하면 제삼자가 차지하고 있는 것은 인정받은 것이기 때문이다."[153]

153 헤겔, 서장혁 역, 『예나 체계기획 III』, 아카넷, 2012, 302쪽.

이러한 과정을 두고 보면 인정투쟁의 결과는 법적인 승인으로 귀착된다. 종착지가 법적인 승인이 되는 이유는 사회적 관계를 유지하기 위해 법의 제도화가 필요하기 때문이다. 이런 관점은 개인의 내면성에 도덕적 근거를 찾으려 했던 칸트와 차이가 있다. 헤겔에 있어서 도덕은 상호주관성에 바탕을 두고 있다. 이것은 보편적 입법준칙을 찾는 과정이 아니라, 인정투쟁을 거쳐 상호 인정의 형태로 합의되는 결과이다.

> "법은 타자와의 관계 속에서 인격들이 맺는 연관이며, 그들의 자유로운 존재의 보편적 기초이며, 공허한 자유의 규정이자 제한이다. 나는 이 연관이나 제한을 나 자신을 위해 고안해 낼 수도 산출해 낼 수도 없다. 오히려 그 대상이 그 자체로 법 일반의 이러한 산출이며 인정하는 연관의 산출이다. 인정행위에서 자아는 개별자이기를 중단한다."[154]

그런데 헤겔의 인정투쟁과 승인의 법적 결과는 물리적 충돌에 대한 타협인가 언어적 소통인가 심리적인 작용인가? 헤겔은 이 부분을 설명하기 위해서 정신의 작용을 예로 든다. 즉 인간의 정신 활

154 헤겔, 『예나 체계기획 III』, 300쪽.

동은 예지와 의지로 나뉘는데, 전자가 정신의 수동적이고 내적인 작용이라면, 후자는 능동적이고 외적인 작용이다. 그런데 의지는 노동을 통해서 분화된다. 이때 분화된 의지가 사회문제를 촉발시키는 이유는 인간의 꾀(List) 때문이다.[155] 즉 꾀란 인간의 무한정한 욕심을 의미하며, 이것은 홉스가 지적한 만인 대 만인의 투쟁과 비슷한 형태의 욕망구조를 갖는다. 그렇다면 이러한 사회적 혼란을 해결하는 방법은 무엇인가? 그것은 지식을 통해 성찰적 태도를 성립하고, 타자의 존재를 수용하고, 나의 욕망을 제한하는 방법을 배우는 것이다. 즉 각자 개인이 자신의 행위가 어떤 사회적 의미를 갖는가를 깨닫는 것이 중요하다. 왜냐하면 개별자가 타자의 행동을 사회관계 속에서 해석하고, 사회관계 속에서 자기의식을 형성하는 방법을 터득하는 것만이 인정투쟁에서 합의된 승인으로 발전해 갈 수 있는 유일한 길이기 때문이다.

한편 이 과정을 독일의 정치철학자 하버마스는 언어적 소통행위로 해석한다. 하버마스가 보기에 헤겔은 대립하는 주체들의 소통적 동의를 통해서 주체가 성립한다고 이해한다. 그래서 보편성과 특수성의 양자를 매개하는 수단이 중요한데, 그것이 바로 의사 소통적 행동이다. 하버마스는 이어서 정신의 외부적 활동은 기

155 헤겔, 『예나 체계기획 III』, 87쪽.

억, 노동, 가족이며, 이 세 가지 대상은 서로가 이질적이지만, 정신의 매개체인 언어를 통해서 상호인지와 상호행동이 가능하다고 본다. 또 헤겔이 지적한 간교는 도구적인 것으로써 자연과정을 지배하지만, 일상의 언어는 사고하는 의식을 뚫고 들어가 정신을 지배한다. 그래서 언어, 도구, 가족이라는 범주는 각각 상징적 표상, 노동과정, 상호성이라는 행동유형으로 분류된다. 그런데 노동과 상호성의 영역을 매개하는 것이 상징적 표상이다. 다시 말해 노동은 인정투쟁의 대상이고, 가족은 상호성을 기반으로 한 인륜성의 제도화이며, 양자를 결합하는 매개체가 언어적 소통이다.

> "승인을 위한 투쟁은 대화 상황의 억압과 재구성을 인륜적 관계로서 다시 세운다. 이 운동- 이 운동만이 오로지 변증법적이라고 불려질 수 있는데- 내에서 힘에 의해 왜곡된 의사소통의 논리적 관계가 실천적 힘을 발휘한다. 이 운동의 결과만이 그 폭력을 일소하고 남(타자) 안에서 자기를 대화하는 것처럼 인식하게 되는 비억압적 상황을 낳게 한다. 그 대화적 인식이 화해로서 사랑이다."[156]

한편 헤겔의 정신과정을 독일의 정치철학자 악셀 호네트는 미

156 하버마스, 홍윤기 역, "노동과 상호행동,"『이론과 실천』, 종로서적, 1985, 153쪽.

드의 사회심리학의 용어로 풀어낸다. 호네트의 설명에 따르면 "주격적 존재인 나"가 "목적격 주체인 나"로 전환되는 과정이 바로 헤겔의 정신작용이다. 그는 인정투쟁의 승화과정을 사회심리학의 관점에서 설명하면서, 헤겔 철학의 난해함을 사회적 분석수준에서 명쾌하게 설명한다. 목적격의 나란 사회적 규범성을 담보한 일반적 타자이다. 한편 주격적 나란 대타적 자아를 받아들이지 못한 상태에 있는 상태를 가리킨다. 나와 타인의 욕망이 충돌하는 이유는 두 사람 사이에 공유할 수 있는 보편적 규범이 없기 때문이다. 그런데 주격적 나가 사회화과정을 거치면서 보편적 규범을 알게 되고, 심리적 갈등을 겪으면서 이 규범을 받아들이고 승인하게 되면, 타자와의 합의가 가능해진다. 하버마스가 대등한 주체의 소통 가능성에 초점을 두었다면, 호네트는 사회화 과정을 더 강조하고 있다. 이 대목에서 호네트의 설명을 인용해 볼 만 하다.

> "지금까지 심리학의 근본 문제와 관련된 연구를 통해 미드는 인간의 자아의식에 대한 상호주관적 관념에 도달했다. 즉 주체가 자기 자신에 대한 의식을 가질 수 있는 것은 단지 그가 자신의 행위를 자신의 상대자를 통해 상징적으로 재현된 관점에서 지각하는 법을 습득하는 데 달려 있다는 것이다. 이러한 테제는 바로 제2의 주체(자신의 상호작용 상대자)와 존재에 의존하여 자아의식이 형성되는 심리적 메커니즘을 진술하고 있다는 점에서 헤겔의 인정이론을 자연

주의적으로 근거 지울 수 있는 첫 번째 단계이다."[157]

호네트가 보기에 주격인 나는 공동체의 도덕적 규범을 받아들이지 않고서 자신의 정체성을 유지할 수 없다. 물론 주격인 나는 자신의 충동성을 멈출 수도 없다. 이러한 충동과 도덕적 규범 사이에서 갈등하는 것이 바로 인정투쟁이며, 이것은 개인의 대화상황도 사회적 실천으로 간주해야 한다는 점을 말해 준다. 대화상황이 사회적이란 말은 개인의 이성적 판단에 따라 합의가 가능해지기보다는 역사적 수준에서, 문명화의 단계에 따라 대화상황이 달라진다는 것을 의미한다. 이것이 하버마스와 호네트의 차이점이다. 그렇기 때문에 호네트는 개인수준, 시민사회, 국가 수준에서 인정투쟁의 방식이 다르며, 그 승인의 결과도 차별성이 있다는 점을 강조한다. 예를 들어 개인적 수준에서 인정형태는 사랑이며 여기서 투쟁은 학대에 저항하는 형태로 나타난다. 반면 시민사회에는 주로 소유권을 둘러싼 권리의 문제가 투쟁의 형태이며, 승인의 결과는 법적인 제도화로 정착된다. 마지막으로 국가 수준에서는 가치관의 충돌이 투쟁의 형태이며 승인의 결과는 가치공동체로 귀결된다. 자기 존중, 권리 존중, 가치 존중이라는 세 가지 승인의 형태는 각

157 호네트, 문성훈 역, 『인정투쟁』, 동녘, 1996, 137쪽.

인정 방식	정서적 배려	인지적 존중	사회적 가치 부여
개성의 차원	욕구 및 정서 본능	도덕적 판단 능력	능력, 속성
인정 형태	원초적 관계 (사랑, 우정)	권리 관계 (권리)	가치 공동체 (연대)
진행방향	–	일반화, 실질화	개성화, 평등화
실질적 자기 관계	자기 믿음	자기 존중	자기 가치 부여
무시의 형태	학대, 폭행	권리 부정, 제외시킴	존엄성 부정, 모욕
위협받는 개성의 요소	신체적 불가침성	사회적 불가침성	명예, 존엄성

호네트의 인정투쟁 해석

수준별로 인정투쟁의 형태가 다르다는 점을 분명히 말해 주고 있다. 호네트는 자신의 주장을 위의 그림으로 표시하고 있다.[158]

3절 | 후기 시대: 인륜성

베를린 대학의 교수가 되어 학문적으로 완숙한 경지에 달한 헤겔은 인륜성이란 개념을 강조한다. 이것은 인정투쟁의 결과가 제

158 호네트, 『인정투쟁』, 220쪽.

도적으로 승인된 형태를 의미한다. 다시 말해 좋은 삶이 무엇이며 그것의 사회적 정치적 조건이 무엇인지를 설명하는 개념이다. 『법철학』은 인륜성의 개념을 잘 소개하고 있는 책이다. 특히 3부 인륜성의 첫 번째 장에서 그는 인륜성을 다음과 같이 정의 내리고 있다.

> "인륜성이란 자유의 이념이 살아 있는 선의 모습을 한 것이다. 거기에서는 선이 자기의식 속에서 스스로를 알고 의욕하는 동시에 자기의식의 행동을 통하여 현실성도 획득하고 있다. 그런가 하면 또한 자기의식은 인륜적 존재를 스스로의 절대적인 기반이며 스스로를 이끌어가는 목적으로 삼고 있으니, 결국 인륜이란 자유의 개념이 현존하는 세계로서 눈앞에 있을 뿐 아니라 또한 자기의식의 본성이 되는 것이기도 하다"[159]

위의 인용문을 음미해 보면 세 가지 사실이 중요하다. 첫째, 인륜이란 도덕적인 선과 법적인 제도가 종합된 현실이다. 도덕이 내면적인 주관성을 의미하고, 법이 외적인 제도라고 한다면 이 두 가지 요인이 합쳐질 때 인륜성이 완성된다. 따라서 여기에는 칸트의 주관성과 홉스의 권력체제가 동시에 등장한다. 둘째, 주관적인 선

159 헤겔, 임석진 역, 『법철학』, 한길사, 2018, 303쪽.

과 공동체의 선이 변증법적으로 종합된 형태가 인륜성이다. 절차적 순수성을 강조했던 칸트의 실천이성과 초월적인 형이상학을 추구했던 루소의 일반의지가 여기서 종합되어 나타난다. 또한 개인의 윤리적 책임과 공동체의 덕스러움이 변증법적으로 융합된 것이 인륜성이다. 셋째, 인륜성은 제도로서 국가의 권력을 의미하면서 동시에 개인의 일반적인 행동양식을 의미한다. 즉 습속이다. 따라서 인륜성은 개인의 생활을 관통하는 혼이며 생명이 깃든 정신이라고 말할 수 있다. 결론적으로 인륜성은 가족의 단위로부터 출발하여 시민사회와 국가를 거쳐 민족정신으로 승화된다.

그런데『법철학』에서 헤겔은 시민사회에서 나타나는 자본과 노동의 충돌에 관심을 두고 있으며 이러한 혼란을 극복하는 국가의 기능에 초점을 맞추고 있다. 따라서 시민사회에서 투쟁의 구체적인 내용이 무엇이며, 이때 국가는 이러한 혼란을 어떻게 극복하게 만드는가를 살펴보도록 하자.

시민사회는 가족의 분화가 발전된 형태이다. 이러한 논리는 헤겔이 아리스토텔레스의 정치철학을 계승하고 있다는 점을 여실히 보여주고 있다. 아리스토텔레스는『정치학』에서 가족에서 시민사회를 거쳐 국가로 발전해가고 있음을 언급한 바가 있다.[160] 가족

160 더 엄밀히 말하면 아리스토텔레스에게 가족의 영역과 정치영역의 분리가 기본 토대이고 시민사회라는 영역은 존재하지 않는다. 다만 가족의

안의 내부적 결속이 외부적으로 드러나고, 해방될 때 차이와 구별이 생기면서 시민사회가 탄생한다.[161] 즉 시민사회는 특수성이 자립적인 형태로 발현될 때 탄생하는 것이다. 여기서 특수성이란 시민사회의 적대적 성격을 의미한다. 시민사회 안에서 개체들의 온갖 욕구와 자신만의 주관적인 호감이 거리낌 없이 표현되어 만족을 추구하기 때문에, 공동체의 조화는 우연에 맡겨질 수밖에 없다. 그래서 과잉과 빈곤이 가득하고 육체적 도덕적 퇴폐가 만연하게 된다.[162]

"특수성은 그것만으로는 방자하고 무절제한 것으로, 이렇듯 방자한 그 형식 자체에는 한도가 없다. 인간의 욕망은 동물의 본능처럼 폐쇄된 범위의 것은 아니어서, 인간은 스스로의 욕망을 표상과 반성을 통하여 부풀려 나가며 이를 악무한적으로 펼쳐나간다. 결국 이

영역 안에 경제라는 대상을 포함시키고 있고, 이것이 후일 근대정치사상에 이르러 가족의 영역과 시민사회로 분리되는 것이라고 볼 때, 아리스토텔레스가 헤겔의 선구자로 볼 수도 있다는 뜻이다. 한편 시민사회라는 개념을 가장 먼저 사용한 학자는 스코틀랜드의 정치사상가 퍼거슨이었다.

161 헤겔, 『법철학』, 351쪽.

162 헤겔, 『법철학』, 359쪽.

방자한 향락과 궁핍으로 겹쳐진 착종된 상태는 오직 이것을 제어하
는 국가에 의해서 비로소 조화를 이룰 수 있다."[163]

그렇다면 도대체 시민사회에서 욕망의 충돌은 왜 일어나게 되는가? 이 점을 이해하기 위해서는 시민사회가 구성되는 요인을 알 필요가 있다. 헤겔은 시민사회를 세 가지 구성요소로 이루어진다고 설명한다. 그것은 욕구 체계, 법체계, 복지행정과 직능집단이다. 세 가지 구성 요소 중에서 욕구체계는 헤겔이 가장 열정적으로 연구하고 저술을 하고 있는 부분이다. 여기서 그는 애덤 스미스와 리카르도로 대변되는 영국의 국민경제학에 대하여 소상히 밝히면서 자유주의 경제이론을 비판한다. 이것은 분명 마르크스에게 큰 영향을 준다. 욕구체계는 한마디로 개인의 주관적인 욕구가 충족되는 것을 전제로 한 개념인데, 영국의 국민경제학에서는 보이지 않는 손에 의하여 개인들의 욕구들이 조화되어 시민사회가 자연스럽게 조화를 이룰 수 있다고 생각했다. 반면 헤겔은 개인의 욕구는 악무한적으로 팽창되는 속성을 가지고 있기 때문에 스스로 자제한다는 것은 불가능하며, 여기에 나와 타자의 욕구를 객관화하고 법제화할 수 있는 외부적 규제력이 필요하다고 본다. 타자에 대한 존

163 헤겔, 『법철학』, 361쪽.

재를 인정하고 나의 욕구를 충족시키는 수단도 타자와 합의하여 공동성을 가져야 한다는 것을 개인들이 인정해야만 한다. 이것이 결국 인정투쟁의 결과물이다. 즉 서로가 인정되어 있다는 의미의 공동성을 구축하고 개인들이 여기에 복종하는 것이 사회성의 출발이다.

그렇지만 공동성의 구성이 전체 개인들을 평등하게 만드는 것은 아니다. 산업사회로 진입한 당시의 사회에서 개인들의 욕구가 노동을 통해서 충족될 때, 노동이 추상화되어 임금노동으로 전락하고, 분업이 가속화되어 숙련/비숙련으로 노동이 분화되어 감에 따라서, 자본의 논리가 노동의 욕구충족 기능을 점차 압도하게 되었다. 쉽게 풀어 설명하자면, 자본주의 착취의 논리가 노동력을 수단화시켜 버려, 개인들은 자본의 부속품으로 전락하게 된 것이다. 자본가는 더욱 부자가 되고, 노동자들은 일할수록 빈곤하게 되는, 악순환을 겪게 되었다. 여기서부터 계층이 발생한다. 세분화된 노동의 분화는 몇 갈래의 집단들을 구분하기 시작했고, 노동수단이나 실천적 교양까지도 구조화시키면서 각 개인들이 분류화한다. 헤겔은 여기서 농업경영에 따른 지주계층과 농민, 상공업계층과 노동자에 주목한다. 토지를 통한 수익의 독점과 상공업을 통한 이익의 독점은 초기 자본주의 폐해를 보여주는 전형적인 사례들이다.

사회적 불평등과 계층의 발생을 규제하는 방법은 물론 추상적 도덕이 될 수도 있다. 스스로 욕구를 조절하고 인륜적 심성을 개발하여 직업에 대한 사명감을 갖는 것으로 시민사회의 일익을 담당할 수도 있다. 즉 성실성과 사명감 등을 고취하는 방식으로 시민사회의 혼란을 극복할 수도 있다. 그러나 그 효과는 매우 우연적일 수밖에 없다. 너무나 불충분하다. 그래서 헤겔은 국가의 기능을 강조한다. 그럼 국가의 기능은 무엇인가? 첫 번째 기능은 법체계를 갖추는 것이다. 욕구와 노동의 충돌을 법으로 규정하고, 보편성의 형식을 보장하는 것이다. 법의 보편성이란 자연법을 넘어선다는 것을 의미한다. 이제 시민사회에서 발현되는 노동과 자본의 충돌, 그리고 계층 간의 불평등을 완화하기 위해서는 실정법이 효력을 발휘해야만 한다. 실정법의 범위는 가족, 사랑, 종교, 노동 등의 범위를 포괄하며, 여기에는 구체적인 법 규정과 강제력의 행사가 함께 명시되어야 한다. 예를 들어 범행에 대해서 매를 40대로 할 것인지, 벌금형은 5달러 할 것인지 등을 분명히 규정해야 한다.[164] 헤겔은 시민사회에서 법의 구조와 기능을 설명하는 데 많은 지면을 할애하고 있는데, 그 이유는 법이란 실정법이어야 하며, 이것은 구체적인 규정과 강제력의 실행을 명시해야 한다는 점을 설명하기 위해서이다. 이런 맥락에서 보면 헤겔의 사법체계에 대한 설명은 근대적 법체계의 모범 사례라고 할 만하다.

그런데 복지행정과 직능집단은 무엇인가? 법으로 시민사회의

164 헤겔, 『법철학』, 395쪽.

충동을 완전히 해결할 수 없다는 뜻이다. 헤겔은 『예나 체제기획 III』에서도 "현실적 정신"이라는 절에서 법적인 강제를 설명한 후, 다음 절인 "헌정"에서는 국가의 기능으로서 사면과 용서 등을 서술한 바 있다. 필자가 보기에 그와 비슷한 논리로 『법철학』에서 시민사회의 혼란을 극복하기 위해서 사법체계의 기능을 강조한 후, 헤겔은 복지정책과 직능단체의 기능을 설명하고 있다. 이것은 국가의 기능이 강제력뿐만 아니라 정서적 회복을 위한 기능도 있다는 점을 설명한 것이다. 즉 인륜성이란 법적 강제성과 정서적 위로의 기능을 혼합한 것이라고 할 수 있다. 특히 헤겔은 산업사회에서 개인이 겪어야 할 불안정성에 대해 우려를 표현하면서, 경제적 약자로서 개별노동자들이 누려야 하는 생활권의 보호를 강조한다. 여기에 국가의 새로운 역할을 명시한 것이다. 구체적으로 공립학교를 설립하고, 자녀의 교육에 대한 공공시설을 확충하며, 가족의 생계를 보장해야 한다고 설명하고 있다. 그리하여 국가가 행정업무를 담당함으로써, 개인의 생존권 보장은 종교 시설에 의해서 행해진 자선사업의 차원을 넘어서야 한다.

한편, 상공업에 종사하는 노동자들은 직능단체를 결성하여 특수한 계급적 충돌에서 자신의 권리를 보호하도록 해야 한다. 이것은 현대판 노동조합과 같은 것으로 노동자의 권익을 보호하기 위해서 집단결사체를 구성할 것을 제안한 것이다. 직능단체에 대한 헤겔의 생각은 노동자 계급투쟁을 강조한 마르크스와 비교하여 노동운동의 새로운 해결책을 제시한 것으로 해석할 수 있다. 따라서 현대사회에서 마르크시즘이나 사민주의에 경도된 노동운동을 반성하고 새로운 타협의 방향을 설정하는데 헤겔의 사상은 많은 시사점을 준다.

요약하자면 국가는 법적으로 자본과 노동의 갈등을 조절하고, 다른 한편으로 경제적인 약자들이 생존권을 확보할 수 있도록 복지행정을 실천해야 한다. 이렇게 하여 국가는 인륜성의 최고의 형태를 이룬다. 이제 국가에 대한 헤겔의 정의를 살펴보자.

> "국가란 인륜적 이념의 현실태이다. 거기에서는 인륜적 정신이 명명백백하고 명석한 실체적 의지로 나타나고 스스로를 사유하고 인식하며 또한 이렇게 인식하는 것을 인식하는 한에서만 그 자신을 성취한다. 국가는 습속을 통하여 직접 그의 모습을 나타내고 개개인의 자기의식이나 그의 지와 활동을 통하여 간접적으로 모습을 나타내지만, 다른 한편으로 개개인의 자기의식은 그 마음가짐을 통하여 자기활동의 본질이며 목적이며 성과로서의 국가 안에서 그의 실체적 자유를 지닌다."[165]

165 헤겔, 『법철학』, 441쪽.

국가의 인륜적 현실태라는 뜻은 국가와 개인의 관계가 전혀 다르다는 점을 의미한다. 국가는 단순히 개인들의 욕망을 채우고 소유권을 보호하는 것을 넘어서야 한다. 그래서 헤겔은 국가를 객관적 정신이라고 부른다. 내용적으로는 공동성에 기초한 실체적 의지와 개인의 특수한 목적을 포괄하는 실체이다. 이 대목에서 헤겔은 루소의 일반의지를 명시적으로 거론한다. 루소의 일반의지는 개별적인 의지의 종합으로 파악했는데, 이것은 국가의 형식적인 측면에 불과하다고 반박한다.[166] 국가는 개별의지와 더불어 객관적인 정신을 종합한 것이기 때문이다. 그러면서 덧붙이기를, 국가란 인간의 세계에서 신이 내딛는 발걸음과도 같아서, 국가의 근원은 스스로를 의지로 현실화해 나가는 이성의 힘이다.[167] 이런 논리의 극단적 형태는 바로 국가권력의 권위를 무제한으로 인정하는 독재체제이다. 헤겔의 국가사상이 보수적인 것으로 이해되고, 후일 히틀러 정권의 독재를 정당화하는 데 악용된 사례가 있는데, 그 근본적인 원인을 바로 여기에서 찾을 수 있다.

한편, 헤겔에 따르면 국가는 세 가지 요소로 구성된다. 1. 개체적 국가로서 헌법이나 국내법이다. 2. 다른 국가와의 관계로서 국제법이다. 3. 보편적인 국가이념이 세계사에서 등장하는 형태이

166 헤겔, 『법철학』, 444쪽.

167 헤겔, 『법철학』, 450쪽.

다. 여기서 첫 번째 국내법의 요소는 시민사회를 설명할 때 그 내용과 기능을 자세히 언급한 바 있다. 문제는 두 번째와 세 번째 요소이다. 칸트는 다른 국가와 관계 설정을 영구평화론으로 설명하고, 궁극적인 목표는 보편적인 국제사회를 지향했던 반면, 헤겔은 칸트의 영구평화론이나 국가연합에 대하여 회의적이다. 그 이유는 너무 자명하다. 국가란 절대정신의 구현체이며, 스스로가 보편적 의지를 표방하는 존재이기 때문에, 다른 국가가 자국의 의지에 반대하는 행동을 할 경우에 그것을 용인할 수가 없다. 따라서 국가 간의 전쟁은 오히려 국가의 보편적 의지를 실현하는 행위이며, 국가가 발전해 갈 수 있는 계기가 된다.

여기서 새로운 형태의 인정투쟁이 전개된다. 헤겔이 살았던 시기는 비엔나 회의를 기점으로 유럽에서 민족국가가 성립되고, 주권국가에 대한 개념이 성립하던 시기였다. 따라서 주권국가는 내적으로 법률체제에 근거하여 주권의 형태를 갖추어야 하며, 대외적으로는 외교무대에서 상대국을 인정하는 국제정치의 형태를 갖추어야 한다. 그런데 다른 국가로부터 인정을 받기 위해서는 나 자신부터 타국을 인정해야 한다. 이와 같은 국제정치 무대에서의 인정투쟁은 시민사회에서의 인정투쟁과는 전혀 다른 권력 기반에서 움직인다. 왜냐하면 국제정치에서는 국가가 절대적 주권을 갖고 있다는 의미가 실체적인 정치상황과 밀접하게 연결되어 있고, 이것은 결국 군사적 우월성과 관련되기 때문이다. 즉 시민사회에서의 인정투쟁은 궁극적으로 국가권력에 의해서 조정될 수 있지만,

국제사회에서의 인정투쟁은 전쟁을 통해서 해결될 수밖에 없다. 이런 맥락에서 헤겔은 국가 간의 전쟁을 필요악이라고 생각했다.

> "국가 간의 관계는 국가 주권을 원리로 하는 것이므로, 이런 한에서 국가는 서로가 자연상태 속에 있으면서 이들 국가의 권리가 초국가적인 권력을 구성하는 일반의지 속에서 실현되는 것이 아니라 각 나라마다 특수한 의지로서 현실에 존재할 따름이다. 따라서 국제법의 일반 규정은 어디까지나 당위에 그칠 수밖에 없고, 그 실상은 조약에 따르는 관계와 이 관계의 파기가 서로 교차되는 모습을 나타낸다."[168]

헤겔의 인정투쟁을 연구한 과거의 업적들은 대체로 시민사회에서 전개되는 노동과 자본의 관계에 집중되어 있어, 국제사회에서 인정투쟁의 해결책을 제시하는 데 미흡했던 것이 사실이다. 그런데 오늘날 현대사회에서 국가 간의 투쟁이 빈번하고, 한국사회에서 국제정치의 현실이 인정투쟁의 양상을 띠고 있는 만큼, 헤겔이 제시하지 않고 떠난 자리에서 그 해결책을 고민하는 것이 매우 중요한 과제라고 생각한다. 헤겔은『법철학』후반부에서 부족하나마

168 헤겔,『법철학』, 574쪽.

국제적 분쟁의 심각성을 언급하고 있는데, 그 중에서 필자가 주목하는 대목이 있다.

그는 "타국에서 닥쳐올 수 있는 침해의 위험에 대해서까지도 확률의 대소를 놓고 이리저리 따져가며 상대의 의도를 추정하거나 억측을 하기도 하는데, 그러한 위기감이 분쟁의 원인으로 부풀려지기도 한다"고 지적한 바 있다.[169] 이 대목을 곰곰이 곱씹어 보면 타 국가에 대한 인정의 문제는 내부적인 성찰성과 밀접하게 연결되어 있음을 말한 것이라고 보여진다. 즉 자국이 타국을 어떻게 인식하고 상대국의 주장을 어느 정도 수용할 것인가를 결정하는 과정이 국제적 인정투쟁의 핵심이라는 뜻이다. 그런데 국가의 인식을 매개하는 것은 지식의 체계이다. 헤겔은 국가의 내면적 속성을 설명하는 자리에서 여론과 학문들이 정치적 의견을 만들어 내고 그것이 타국과의 관계를 결정하는 데 어떤 역할을 하는지에 대해서 자세히 설명하고 있다.[170] 나는 이것이 예지라는 활동의 또 다른 형태라고 생각한다. 즉 『예나 체제기획 III』에서 헤겔은 이성의 간계와 대비되는 정신의 보편적인 활동을 예지라고 표현했는데, 『법철학』 후반부에 등장하는 지식과 여론의 역할을 바로 정신의 보

169 헤겔, 『법철학』, 575쪽.

170 헤겔, 『법철학』, 556-560쪽. 특히 319절은 "의사 표시의 자유"라는 제목으로 출판이나 언론의 영향력에 대해서 상세히 논의하고 있다.

편적 활동이라고 볼 수 있다는 것이 필자의 생각이다. 이것을 오늘날 유행하는 말로 바꾸면 성찰적 지식이라 하겠다. 상대 국가에 대한 자국의 인식이 성찰적인가에 따라서 국제정치의 인정투쟁이 합의로 귀결되는가, 혹은 전쟁이라는 파국으로 종결되는가가 결정된다고 하겠다. 요약하자면 법치국가의 일반적 형식과 더불어 성찰적 지식이 성립된다면 국제사회의 평화가 가능해질 것이다. 이렇게 보면 칸트의 영구평화론과 헤겔의 국제평화론이 완전히 다른 것은 아닐 수도 있겠다.

> "학문이란 적어도 그것이 학문인 이상은 결코 사념이나 주관적인 견해를 기반으로 하는 것이 아니며, 그의 서술도 능란한 말투나 암시 또는 말로 드러낼 듯한 기법을 본질로 하는 것은 또한 아니며(...) 사사로운 견해나 그 표명된 내용이 고스란히 행위가 되어 현실로 모습을 드러내는 영역은 그 누군가의 지성이나 원칙 또는 의견에 해당하는 까닭에, 결국 행위의 이러한 면, 즉 개인이나 사회. 국가에 대한 그의 본래의 영향력과 위험성은 역시 이 기반의 성질 여하에 달려 있다."[171]

171 헤겔, 『법철학』, 559쪽.

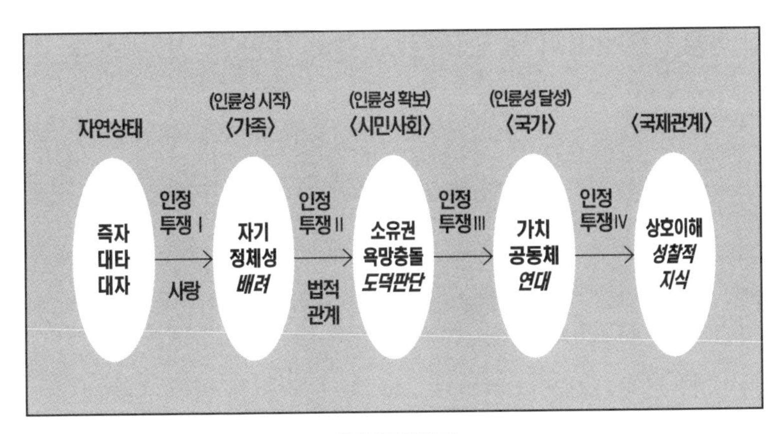

헤겔의 정치사상

지금까지 설명한 헤겔의 사유체계를 그림으로 표현하면 위와 같다.

3장 | 프레이저 대 호네트: 헤겔에 대한 두 가지 해석

현대사회에서 정의는 어떻게 정의될 수 있을까? 그 대답은 크게 두 가지로 나뉜다. 하나는 경제적 불평등에 대한 시정을 요구하는 것이 정의라는 생각이며, 다른 하나는 문화적 범위에서 새로운 가치관을 인정하는 것이 정의라는 생각이다. 전자를 대표하는 학자가 낸시 프레이저라고 한다면, 후자를 대표하는 학자가 호네트이다. 그런데 이 두 학자의 입장 차이는 크게 보아 헤겔에 대한 해석의 차이라고도 볼 수 있다. 또 두 사람 간의 인식론적 논쟁은 현대사회에서 정의론의 범위를 설정하고, 사회개혁의 방향을 결정하는 데 대단히 중요한 기준을 제시한다. 한국사회에서도 분배적 정의와 더불어 가치론적 정의가 필요한 시점에 이르렀다고 필자는 생각한다. 이러한 맥락에서 프레이저와 호네트의 입장 차이를 간략하게 살펴보기로 한다.

두 학자의 논쟁은 미국 스탠퍼드 대학의 테너 강연에서 이루어진 발표와 반박문을 통해서 세상에 알려졌다. 한국에서는 『분배냐 인정이냐?』라는 제목의 책으로 번역되었다.[172] 이 책을 근거로 우선 프레이저의 입장을 간략하게 정리해 보자. 프레이저는 분배 패

172 프레이저·호네트, 문성훈 역, 『분배냐 인정이냐?; 정치철학적 논쟁』, 사월의 책, 2014.

러다임에 대한 오류를 지적하는 것으로 자신의 논리를 전개한다. 그는 분배정치를 계급정치와 동일시하고 인정정치는 정체성의 정치와 동일한 것으로 분류하는 것에 반대한다. 이러한 분류방식으로 보면 분배의 패러다임은 뉴딜 자유주의, 사회민주주의, 사회주의와 같은 계급정치에 한정되는 것으로 해석되는데, 프레이저는 분배정치가 계급에만 한정되지 않으며, 부의 분배만을 추구한 적도 없다고 주장한다. 분배정치는 통상적으로 이해되고 있는 계급정치보다는 범위가 넓다는 것이다. 프레이저는 분배정치와 인정정치의 차이를 다음과 같은 4가지로 구분한다.

첫째, 분배정치는 사회경제적 불의에 집중하는 반면, 인정정치는 문화적 불의에 대해서 집중한다. 착취가 전자의 대표적인 예라면 무시 따위가 후자의 대표적인 예이다. 둘째, 분배정치는 경제적 개혁을 목표로 한다면, 인정정치는 상징적 변화를 목표로 삼는다. 예를 들어 전자가 토지 소유의 재분할이나 투자 결정의 민주화 등을 개혁하려 한다면, 후자는 경멸받는 집단들의 정체성을 회복하려고 한다. 셋째, 분배정치가 계급이나 그와 유사한 집단들을 개혁의 대상으로 한다면, 인정정치는 사회 내에서 존중받지 못한 계층들을 대상으로 한다. 전자가 마르크스의 사상을 기반으로 한다면, 후자는 베버의 사상을 기반으로 한다. 넷째, 분배정치가 부당한 차별이 사회-경제적 구성의 결과물이라고 보는 반면, 인정정치는 부당한 차별이 집단 내의 편협한 해석의 결과물이라고 본다. 전자의 대표적인 예가 임금 차별이라고 한다면, 후자의 대표적인 예는 성

소수자에 대한 차별이다. 일반적으로 분배정치가 마르크스의 노동자 중심주의나 롤즈의 사회정의론에 사상적 근거를 둔다고 한다면, 인정정치는 헤겔의 인륜성에 사상적 근거를 갖는다

그래서 프레이저는 인정정치를 자기실현의 문제로 간주한다. 즉 정의의 문제가 아니라는 뜻이다. 사회적으로 고착화된 가치 유형들이 특정 개인이나 집단들의 지위를 완전하게 인정하지 않아서 발생하는 차별이 인정정치의 핵심 문제이다. 그리고 이것은 사회적 상호작용에서 지위를 박탈당하는 형태로 등장한다. 그래서 이것은 무시와 신분 종속에 해당한다. 따라서 이를 '인정의 신분모델' 이라고 부른다.

> "따라서 무시의 대상이 된다는 것은 타자에 의해 평가절하됨으로써 정체성의 왜곡이나 주체성의 손상이 발생하게 되어 고통받게 된다는 사실을 의미하는 것이 아니다. 오히려 그것은 제도화된 문화적 가치 유형들로 인해서 누군가가 사회생활에 동료로서 참여할 수 없게 된다는 것을 의미한다."[173]

173 프레이저·호네트, 『분배냐 인정이냐?; 정치철학적 논쟁』, 59쪽.

이러한 신분모델은 물론 정의론을 보충하고 사회적 정의의 범위를 확장하는 데 기여한다. 우선 제도화된 가치 유형들을 해체하고 사회적 관행들을 개혁하는 데 큰 역할을 한다. 그리고 정체성에 대한 상호주관성의 범위를 확대한다. 이런 의미에서 인정의 문제는 사회심리학의 문제일 수도 있다. 그리고 인정의 패러다임은 무시를 정의의 파괴로 간주함으로써 분배의 대상이 경제적 재화뿐만 아니라 심리적 재화도 포함한다는 것을 밝히고, 나아가 사회개혁의 대상을 넓히기도 한다. 이를 두고 프레이저는 교차시정(cross-redressing)이라고 부른다.[174] 그럼에도 불구하고 프레이저는 사회정의 기반은 분배정치에 있다는 생각을 포기하지 않는다.

이러한 프레이저의 논리를 호네트는 정면으로 반박한다. 특히 시대적 상황이 변화하고 있다는 점을 지적한다.

첫째, 현대사회의 핵심 문제는 경제적 분배에서 인종이나 젠더, 소수종족과 같은 문제로 옮겨 가고 있다. 분배문제가 정의론의 핵심 문제로 다루어졌던 시기는 70년대를 전후로 한 발전국가의 시기였으나, 오늘날은 이른바 포스트 포드주의로 접어들면서 산업발전의 유형이 전혀 다른 모습으로 변화했다. 즉 19세기의 산업주의와 70년대를 풍미했던 발전주의의 폐해를 극복하려는 것이 분배

174 프레이저·호네트, 『분배냐 인정이냐?; 정치철학적 논쟁』, 149쪽.

정치의 패러다임이었다면, 오늘날의 사회는 포스트 발전주의, 포스트모더니즘과 같은 유형으로 바뀌었고 여기서 등장한 핵심 쟁점이 인정의 문제이다.

둘째, 지구화의 확산으로 문화적인 것이 중요한 개혁의 대상이 되었다. 최근에는 지구화가 초래한 타자와의 접근이 빈번하게 되었고, 여기서 차이에 대한 관심이 고조되고 있다. 이른바 베스트팔렌 체제 아래서 성립된 배타적 시민권의 개념이 약화되고, 지구촌의 세계시민권이 강조됨에 따라서 신분에 대한 논의가 정의론의 중심 과제가 된 것이다.

셋째, 상호작용과 의사소통의 제도적 기반이 확충되었음에도 불구하고 세계 수준에서 갈등과 전쟁이 더욱 격화되고 있다. 다문화의 흐름 속에서 소수자들의 인정투쟁은 분리와 고립을 심화시키고 있다. 또 국가적인 차원에서 불관용이 난무하고, 정치적으로는 권위주의가 득세하고 있다.

넷째, 신자유주의의 확산으로 경제적 불평등이 급속하게 심화되고 있는데, 여기서 이러한 경제적 불평등이 국내경제만의 문제로 볼 수 없는 상황이 나타난다. 이제 국가를 사회정의의 기본단위로 볼 수 없게 된 것이다. 사회정의의 수준이 지방에 국한된 것인지, 국가 수준의 것인지, 국제적인 수준의 것인지를 구분하기 어렵게 되었고, 차라리 세 가지 차원이 복합적으로 나타나는 것이 일반적이다. 그래서 경제적 분배정의를 실현하기 위해서 전통적인 방식으로 채용되었던 케인주의가 효과를 발휘하기 어렵게 되었다.

왜냐하면 케인주의 정책이란 기본적으로 국가 단위의 경제정책이기 때문이다.

다섯째, 국가 내부의 정의가 국가 수준을 넘어서고 있다는 것을 받아들이게 되면, 분배정치의 틀을 국제 수준으로 확장시키지 않을 수 없으며, 이것은 자연스럽게 인정투쟁의 방향으로 초점이 맞추어질 수밖에 없다. 왜냐하면 정의론의 주체와 대상이 국내 사회에만 한정될 수 없으므로 국제적인 연대를 모색하지 않을 수 없기 때문이다.

이러한 맥락에서 분배정치와 인정정치는 혼합된 형태로 등장한다. 오늘날 사회갈등은 '나뉠 수 없는' 갈등의 형태를 띤다. 이 개념의 의미는 국가 구성원들이 일정한 규범에 동의한다고 해서 사회적 갈등이 해결될 수 없다는 뜻이다. 대표적인 사례가 집단적 정체성이라는 문제이다. 여기에는 종교적인 것, 인종적인 것, 경제적인 것이 혼재되어 있다. 페미니즘, 소수자, 종교적 민족주의, 인종주의 등은 소위 포스트 사회주의 시대에 나타나는 사회적 갈등의 대표적인 경우이며, 이러한 갈등들을 두고 분배정치인가 인정정치인가로 구분할 수 없다. 분배와 인정을 구분하는 기존의 방식은 어쩌면 마르크시즘의 노동자 정치나 경제주의에 경도된 편협한 시각일 수도 있다. 프레이저가 주장했던 것처럼 분배정치를 기반으로 하여 인정정치를 일부 수용하는 시각은 정치적 경계를 미리 설정하는 과오를 범하는 것이다. 따라서 사회갈등을 해결하기 위해서 인정정치의 패러다임으로 이행하는 것은 현대사회의 문제를 보다 근본적으로 대처하기 위한 방향 전환이다.

> "나에게 인정 이론적 전환은 오늘날 일어나는 사회적 변화과정에 대한 응답이 아니라 이론 내적인 문제에 대해 대답하려는 시도이다. 따라서 이러한 체계상의 차이 때문에 앞으로 계속되는 논의의 진행 과정에서 나는 오늘날 분배 정의 문제 자체는 상당한 정도로 분화된 인정이론의 규범적 범주들을 통해 더 잘 설명될 수 있다는 점 역시 보여주어야만 할 것이다."[175]

호네트의 입장은 사회문제를 바라보는 시각에 근본적인 개혁을 촉구하고 있다. 적어도 마르크시즘에 기반한 경제주의적 정의론에 대해서 비판을 가하고 있다는 점에서 그의 비판은 의미가 크다. 그는 계급투쟁이나 경제적 관점의 정의론을 두고 이익이라는 관점에서 사회정의를 해결하려는 공리주의적 태도가 스며 있다고 지적한 바 있다. 사회적 불평등이 경제적 제도에 있다는 생각을 넘어설 필요가 있다. 사회적 불의의 경험은 일상에서 개인들의 체험 속에 가장 먼저 드러나기 마련이다. 또 불평등을 마주하는 개인들은 계급, 노동자 등으로 한정될 수 없는 다양한 얼굴을 가진다. 소수자,

175 프레이저·호네트, 『분배냐 인정이냐?; 정치철학적 논쟁』, 194쪽.

여성, 인종 등이 그 경우이다. 따라서 이제 사회개혁의 방향은 경제를 넘어서 다양한 수준에서 전개되어야 한다. 사회운동의 새로운 차원을 지향하고 있다는 점에서 호네트의 인정정치에 대한 주장은 한국 현실에서도 큰 의미를 갖는다.

4장 | 한국사회와 헤겔

한국사회에서 헤겔의 의미를 음미하기 위해서,『법철학』의 논리 구조에 따라, 가족-시민사회-국가라는 3가지 범주를 정하고, 그에 대한 현실사회의 변화를 숙고해 보자.

첫째, 가족의 문제가 중요하다. 헤겔은 개인의 사랑에서부터 가족의 구성을 설명하고 있다. 시대적으로 보면 18세기를 전후로 하여 유럽에서 등장한 낭만적 사랑의 모델이 헤겔이 가지고 있던 가족에 대한 표상이라고 할 수 있다. 그런데 오늘날 현대사회에서 이러한 근대가족의 형태가 달라지고 있다. 우선 개인의 사랑이 예전과 같지 않다. 자율적인 주체의 합리적 계약에 의해서 이루어진 결혼이 근대적 사랑의 모습이었다면, 현대사회에서는 결혼제도 자체를 거부하고 동거하는 경우도 빈번하게 발생한다. 극단적으로는 동성애자들의 가족도 등장한다. 또 남성이 생계유지를 위해서 노동을 전담하고 여성이 자식을 낳아 기른다는 성역할의 분담도 크게 달라지고 있다. 여기서 중요한 것은 남녀평등의 의식이 확대되고, 근대적인 성역할을 거부한다는 점이다. 서양이든 동양이든, 가부장적 질서를 기반으로 가족관계가 형성되었지만, 이제 아버지를 중심으로 한 가족질서가 유지되기 힘들게 되었다. 또 현대사회에서는 의학기술이 발전함에 따라서 출산을 조절하거나, 출산 양식도 인공수정과 같은 방식으로 변화하고 있어, 남녀의 결합이라는 고전적인 방식에 큰 변화가 있다. 이러한 변화는 비단 가족의 구성을 변화시키는 것에 머물지 않고, 사회 전체의 유대관계에 큰 영향을 준다는 점에서 대단히 심각한 사회문제를 유발할 수도 있다. 따라서 이 문제에 대처하기 위해서는 헤겔의 인정투쟁의 첫 번째 단계인 가족의 인륜성을 새롭게 인식할 필요가 있다.

둘째, 시민사회의 문제가 중요하다. 헤겔은 시민사회에서 개인의 욕구체계가 충돌하는 문제를 가장 처음으로 인식한 학자이다. 특히 노동과 자본의 대립 구도를 극복하는 것이 시민사회의 가장 큰 과제이며, 이것을 위해 국가의 역할을 강조했다. 노동과 자본의 대립은 필연적으로 빈곤과 부의 축적이라는 양극화를 낳게 마련이며, 이것을 조정하는 것이 '오성국가'의 역할이라는 것이다. 그래서 국가는 실정법의 체계를 통해서 개인의 사적 소유를 보호하고, 동시에 복지정책을 통해서 빈곤의 문제를 해결하라는 것이 해결책이었다. 그러나 오성국가의 역할이 시민사회의 대립 구도를 완전히 해결하지 못한 것이 현실이다. 나중에 마르크스가 적확하게 지적하였듯이, 오성국가 역시 부르주아를 위한 국가의 기능을 벗어나지 못한 것이 사실이다. 따라서 자본주의 한계를 근대국가의 완성을 통해 극복하겠다는 헤겔의 구상이 실패한 것으로 보인다.

이러한 문제는 현대 한국사회에서도 그대로 드러나고 있다. 경제개발의 후유증으로 한국 시민사회는 양극화가 심화되고 있으며, 노동과 자본의 대립은 점차 가속화되고 있다. 더구나 신자유주의 이후 해외자본의 유입이 쉬워져, 국내경제를 조절할 수 있는 국가정책의 범위가 좁아지고 있다. 즉 시민사회라는 영역이 더 이상 국가에 의해서 조정될 수 있는 대상이 아니라는 것이다. 이른바 금융 제국주의가 심각한 문제로 대두되고 있다. 여기에 비정규직 문제나 외국인 노동자들의 문제도 헤겔 시대와는 전혀 다른 양상이다. 소위 포스트 포디즘의 산업체계가 구축됨에 따라서 노동의 유연성이라는 노동시장의 문제가 등장했고, 이것은 근대산업사회에서 볼 수 없었던 새로운 노-자의 대립을 만들어 내었다. 노동 유연성은 노동자의 해고를 쉽게 만들었고, 이에 대처하기 위한 복지행정은 재정정책이 위축되어감에 따라 축소되는 실정이다. 이러한 상황에서 과연 시민사회를 조절할 수 있는 오성국가의 기능을 얼마나 기대할 수 있을지 의문스럽다. 이러한 문제에 대처하기 위해서 시민사회의 인정투쟁을 새롭게 인식하고, 한국사회에서 국가의 역할에 대해서 다시 한번 고민해야 할 것이다.

셋째, 국가영역의 문제가 중요하다. 이때 국가의 문제를 주로 국가 간의 관계에 집중되어 논의해 보고자 한다. 헤겔은 법철학의 후반부에서 국제관계 속에서 국가의 역할을 언급하면서, 크게 두 가지 점을 강조했다. 첫째는 조약과 같은 실정법 체계에 의존하는 국제정치의 영역이며, 둘째는 습속의 차원에서 국가를 인정하는 관행의 영역이다. 전자가 오늘날 국제법의 형태로 정착되었다면, 후자는 문화적 교환이라는 형태로 국제정치를 규정하고 있다. 그런데 필자가 보기에 후자의 영역이 현대사회의 문제를 이해하고 대처하는 데 지적으로 중요한 자원을 제공한다. 예를 들어 외국인 노동자가 국내로 유입되면서 나타나는 문화적 갈등은 실정법의 차원에서 해결될 수 있는 것이 아니며, 이것은 차라리 타자에 대한 인식을 바꾸어야 하는 것이기 때문이다. 즉 문화적 관습을 변화시키는 것이 국가 수준에서 요구되는 인정투쟁의 새로운 형태라는 것이다.

세계화의 영향으로 이제 한국사회도 외국인의 유입이 빈번해졌고, 생활세계의 문화생활도 외국의 영향으로부터 벗어나기 어렵게 되었다. 더구나 SNS의 기술적 발전은 실시간으로 외국 노래, 영화 등을 직접 관람할 수 있도록 만들었기 때문에, 국민의 정체성을 국가가 관리하고 주입하는 것이 불가능해졌다. 과연 한국적 정체성과 세계적 정체성은 양립할 수 있는 것일까? 논리적으로 보면 문화교류가 활발해져가면, 민족적 정체성보다는 세계적 정체성이 더욱 확대되어야 할 것이다. 그러나 현실에서는 오히려 지역적 정체성이 강조되는 경우도 많다. 특히 유럽에서는 소수인종과 종교집단들이 저항적 정체성을 강조하면서 국제적 분쟁을 유발시키고 있다. 또 한국에서는 아직도 이념대결과 냉전적 사고가 지배적이어서, 타자의 인식이 세계화의 수준에 미흡해 보인다. 따라서 한국사회에서 이분법적 냉전사고를 극복하면서도 한국적 정체성을 유지할 수 있는 방법을 찾아내야만 한다. 이를 위해서 국가 수준에서 헤겔의 인정투쟁을 다시 한번 음미하는 작업이 필요하다.

글을 마무리하며

한국의 대표적인 진보학자인 최장집에 따르면, 민주화란 여러 민주주의 가운데 어떤 바람직한 민주주의를 선택하는가의 문제이다.[1] 그래서 민주주의를 정의 내리기 위해서는 국가의 성격, 국가-시민사회의 관계, 시민사회의 성격 등이 중요하다. 이러한 관점에서 보면 서구사회와 한국사회에서 자유민주주의를 대하는 태도가 확실하게 구분이 된다. 서구에서 자유민주주의는 부르주아들이 1인 1표라는 평등한 제도를 유지하고, 경제적 분배의 갈등을 평화적으로 조정할 수 있는 법적 형태를 안착시킨 제도였다. 반면 한국의 부르주아지들은 이러한 타협적 태도를 가진 일이 없다. 왜냐하면 한국의 부르주아들은 국가의 부당한 시장개입을 저지하는 것이

1 최장집, 『한국 민주주의의 이론』, 한길사, 1994, 5쪽.

민주화라고 생각하기 때문이다. 한국에서 자유민주주의는 팽창한 국가와 거대 독점자본 간의 결합에 대해서 적절하게 대처할 수 없는 이념이다.[2] 그에 따르면 민주주의의 핵심 원리가 경제적 평등인데, 자유주의 체제로 이것을 실현시키기 어렵다. 따라서 민주주의를 실현하는 주인공은 부르주아가 아니라 민중이 되어야 하며, 계급 관계를 기반으로 하는 정치적 변혁이 중요하다.

반면 한국사회에서 대표적인 보수 논객인 복거일에 따르면, 자유민주주의 핵심은 경제적 자유에 있다. 재산권에 바탕을 둔 경제적 자유 없이 다른 자유들이 존재할 수 없다는 주장이다.[3] 그리고 경제적 자유를 이루는 기본 사상은 하이에크의 자유주의이다. 그런데 한국사회에서 이러한 자유주의를 해치는 세력들이 1990년대 이후 등장하였는데, 이를 두고 그는 '민족 사회주의'라고 이름 붙인다. 이 세력들은 북한과의 화해를 주장하고, 자급자족의 경제를 강조하며, 반미세력을 조장한다. 이로 인해서 시장의 자유가 크게 훼손되었다. 그 대표적인 예가 노사정 위원회이다. 이 조직은 민족 사회주의가 자유주의를 밀어내고 한국사회에서 공식이념으로 자리를 잡았다는 사실을 알려준다. 따라서 한국에서 자유민주주의

2 최장집, 『한국 민주주의의 이론』, 374쪽.

3 복거일, "자유주의에 대한 위협," 철학연구회 편, 『자유주의와 그 적들』, 철학과 현실사, 2006, 113쪽.

를 실현하기 위해서는 민족 사회주의를 폐기시키고, 소득과 재산의 평등을 외치는 좌파정책을 거부해야 한다. 그리하여 개인들의 자유가 가장 소중한 가치라는 점을 일깨워야 한다.[4]

필자가 보기에 최장집과 복거일의 차이가 한국사회에서 자유주의 정치를 두고 전개되는 진보와 보수의 전형적인 대립이다. 전자가 마르크스의 계급론에 경도된 노동자 우선주의라고 한다면, 후자는 하이에크에 경도된 기업가 우선주의라고 부를 수도 있겠다. 정권이 바뀔 때마다 여러 형태의 정책들이 윤색되어 발표되지만, 결국 이 두 가지 형태의 자유주의론에서 한국정치는 벗어나지 못했다고 해도 과언은 아니다. 그런데 가만히 살펴보면, 두 사람의 입장이 모두 경제주의에 초점을 두고 있다는 점을 알게 된다. 최장집은 로크식의 소유권에 대한 반대론자라고 한다면, 복거일은 로크식의 소유권에 대한 찬성론자이다. 그런데 여기서 필자에게 한 가지 의문이 생긴다. 자유민주주의가 왜 경제적 평등이나 자유로 귀결되어야 하는가? 너무 협소하게 자유주의에 접근하고 있는 것은 아닌가?

그래서 나는 이제 한국사회에서 자유민주주의의 틀을 폭넓게 사고할 시점이 되었다고 생각한다. 내가 이 책에서 5명의 학자를

4 복거일, "자유주의에 대한 위협," 철학연구회 편, 『자유주의와 그 적들』, 148쪽.

선택하여 자유주의 정치의 핵심 개념들을 다룬 이유도 바로 여기에 있다. 예를 들어 홉스의 정치적 대표성의 문제나, 칸트의 공공성의 문제들은 80년대 민주화의 과정에서 진지하게 숙고되지 않았던 쟁점이었으나, 오늘날에 와서는 한국정치의 핵심 문제가 되었다. 또 세계화의 흐름에 발맞추어 국가 정체성의 변화가 생기고 있는 만큼 헤겔의 인정투쟁의 논리도 한국사회에서 대단히 중요한 쟁점이 되기에 이르렀다. 또 일인 보수체제로 사당화되고 있는 한국 정당 체제에서 정치적 포퓰리즘의 문제를 해결하기 위해서는 루소의 일반의지의 문제의식을 다시 한번 음미해 보아야 할 것이다. 이른바 세계화의 시대에 자유민주주의 과제는 자유 대 평등의 대결 구도가 아니라, 정치적 책임성[5]을 공고히 하는 것에 있다는 지적을 다시 한번 새겨볼 필요가 있다.

끝으로 이 책이 그런 반성의 계기로 읽히고, 한국사회에서 바람직한 자유민주주의 모습을 정착시킬 수 있는 성찰의 도구가 되기를 바란다.

5 임혁백, 『1987년 이후의 한국 민주주의』, 고려대학교 출판부, 2011, 462쪽.

홍성민 교수의 알기 쉬운 정치철학 강의 2권

자유주의 정치

도대체 한국정치는 뭐가 문제인가?

발행일 1쇄 2024년 2월 28일

지은이 홍성민

펴낸이 여국동

펴낸곳 도서출판 인간사랑

출판등록 1983. 1. 26. 제일-3호

주소 경기도 고양시 일산동구 백석로 108번길 60-5 2층

물류센타 경기도 고양시 일산동구 문원길 13-34(문봉동)

전화 031)901-8144(대표) | 031)907-2003(영업부)

팩스 031)905-5815

전자우편 igsr@naver.com

페이스북 http://www.facebook.com/igsrpub

블로그 http://blog.naver.com/igsr

인쇄 하정인쇄 출력 현대미디어 종이 세원지업사

ISBN 978-89-7418-444-5 04340
978-89-7418-439-1 (세트)

* 책값은 뒤표지에 있습니다. * 잘못된 책은 바꿔드립니다.